BIBLIOTECA DELL'ARGILETO
Nuova Serie

Antonella Marotta

PIRANDELLO NEL TEATRO DI EDUARDO

Bastogi
Editrice Italiana

à Maxime

INTRODUZIONE

As soon as we are born the world begins to influence us,
and this goes on till we die.
Nietzsche

Eduardo De Filippo attore, autore, regista è ormai unanimamente considerato un personaggio di primo piano nel panorama della cultura italiana del Novecento. La critica riconosce mondialmente la sua arte e le sue capacità di comunicare con il pubblico. La sua sensibilità di autore attento a cogliere tutte le sfumature della realtà, gli consentono di scrutare l'animo umano, che per lui non ha segreti. Questo saggio si propone di analizzare un aspetto importante del teatro eduardiano: il rapporto Eduardo-Pirandello.

Il discorso critico su questo rapporto inizia negli anni cinquanta: nel 1954, Emilio Barbetti parla addirittura di influenza negativa in quanto Eduardo avrebbe "snaturato la capacità creativa pirandelliana":

> In *Questi fantasmi!* Eduardo, il quale già dopo l'interpretazione de *Il Berretto a sonagli* pirandelliano, aveva collaborato col drammaturgo all'*Abito nuovo*, intende caricare l'ambiente spesso buffonescamente scarpettiano di significati presuntuosamente trascendenti, senza enunciare chiaramente questi (il che gli accadrà poi assai spesso) né trasfigurare convenientemente quelli [...].[1]

Questo giudizio, molto discusso di decennio in decennio alimenta la critica in generale che cerca di difendere l'originalità di Eduardo. Federico Frascani nella sua prima monografia, intitolata *La Napoli amara di Eduardo De Filippo*, parla dell'influenza di Pirandello in termini positivi: "Pirandello non lo induce ad una scelta, gli suggerisce semmai talvolta la forma che questa scelta dovrà assumere per diventare teatro."[2]

La grande magia, commedia eduardiana in cui più evidente appare l'influenza di Pirandello, è stata definita da Felicity Firth "molto diversa: problematica, molto teatrale e molto pirandelliana."[3] Secondo la testimonianza di Eric Bentley, famoso critico teatrale americano, mentre cala il sipario sul terzo atto, il pubblico esplode esclamando in piedi: "Pirandello, Pirandello, Pirandello!" Bentley però dice che "malgrado tutto l'apparente 'pirandellismo' la commedia è realmente molto più semplice."[4]

Corrado Alvaro nell'esaminare *La grande magia* nota che: "[...] questa volta Eduardo è rimasto vittima d'un pregiudizio culturale. Il quale lo porta a raziocinare, filosofare in lingua, e in una lingua sterile, non artistica, divenuta approssimativa e assai meno precisa di quella convenzione linguistica che egli aveva stabilito col suo pubblico."[5] Alvaro continua paragonando quest'opera al film di Charlie Chaplin *Monsieur Verdoux* (1947), "un fallito tentativo di superare se stesso"[6]: "Volle portare il suo dramma di artista e di uomo al di sopra dell'utile racconto quotidiano, lo volle riempire di una teoria di cui non aveva bisogno, d'una intelligenza assai meno verosimile dell'assurdo già scoperto con mezzi più autentici e spontanei."[7]

A mio parere l'influenza di Pirandello sul teatro di Eduardo merita di essere approfondita. Perché si parla tanto di "contorsioni", di esagerazione? Si dovrebbe piuttosto cercare di capire che tipo di relazione intercorre tra Eduardo e Pirandello. In questo saggio si tenterà un'analisi complessiva e più ravvicinata del rapporto Eduardo-Pirandello, alla luce di un metodo di studio intertestuale e psicanalitico.

L'integrazione di Pirandello nel teatro di Eduardo non dovrebbe sorprenderci. Il postmodernismo vede la letteratura come riscrittura di altri testi. Julia Kristeva caratterizza il testo letterario come un mosaico di citazioni; Roland Barthes dice che un'opera letteraria non è altro che una "chambre d'échos", una camera in cui echeggia il suono di numerevoli opere letterarie. Jorge Luis Borges crea, per questo concetto, l'immagine della *Library of Babel;* e Barthes e Foucault parlano della "morte" dell'autore. Harold Bloom, critico e teorico americano, in *The Anxiety Of Influence* applica all'analisi intertestuale una teoria molto interessante che "salva" la personalità dell'autore, vedendo un rapporto conflittuale padre-figlio fra l'autore ed il suo predecessore: "Battle between strong equals, father and son as mighty opposites"[8]. Bloom dice che l'autore (figlio) soffre dell' ansia di volersi misurare alla grandezza del padre e quindi finisce per interpretare "male" l'opera del padre letterario: "Poetic history, is this book's argument, is held to be indistinguishable from poetic influence, since strong poets make that history by misreading one another, so as to clear imaginative space for themselves."[9]

Bloom riporta quest'ansia di confrontarsi con i padri letterari all'imagine freudiana del complesso di Edipo: ogni poeta lotta contro il suo predecessore e cerca di superarlo: "I'm afraid that the anxiety of influence from which we all suffer, whether we are poets or not, has to be located first in its origins, in the fateful morasses of what Freud, with grandly desperate wit, called "the family romance".[10] Per superare quest'ansia, il poeta deve attraversare un percorso simile a quello descritto da Freud proprio nel saggio sul "romanzo familiare", come il "processo di liberazione" di un individuo dall'autorità del genitore:

> The freeing of an individual, as he grows up, from the authority of his parents is one of the most necessary though one of the painful results brought about by the course of his development. It is quite essential that that liberation should occur and it may be presumed that it has been to some extent achieved by everyone who has reached a normal state. Indeed, the whole progress of society rests upon the opposition between successive generations. On the other hand, there is a class of neurotics who condition is recognizably determined by their having failed in this tasks.[11]

Bloom, come Freud, stabilisce che questa "lotta" non è tanto una "battaglia" quanto un "superamento poetico", e che infine questo percorso contribuisce all'originalità del poeta: "But poetic influence need not make poets less original: as often it makes them more original, though not therefore necessarily better."[12] La lotta, continua Bloom, si attua attraverso l'uso dell'ironia, della caricatura, dell'antitesi, dell'iperbole, della metafora:

> Poetic influence – when it involves two strong, authentic poets, always proceeds by a misreading of the prior poet, an act of creative correction that is actually and necessarily a misinterpretation. The history of fruitful poetic influence, which is to say the main tradition of Western poetry since the Renaissance, is a history of anxiety and self-saving caricature, of distortion, of perverse, wilful revisionism without which modern poetry as such could not exist.[13]

Senza l'ironia, la caricatura, le contorsioni, la letteratura moderna non potrebbe esistere, dice il critico. Dopo questo processo, il poeta (figlio) arriva all'ultima tappa del suo percorso poetico che Bloom chiama "the return of the dead": il momento in cui il poeta (figlio), per difendersi dal fantasma del predecessore, sente la necessità di fare una dichiarazione, di chiarire la sua posizione di autore, come per lasciare un testamento:

> But the strong dead return, in poems as in our lives, and they do not come back without darkening the living. The wholly mature strong poet is peculiarly vulnerable to this last phase of his revisionary relationship to the dead. This vulnerability is most evident in poems that quest for a final clarity, that seek to be definitive statements, testaments to what is uniquely the strong poet's gift (or what he wishes us to remember as his unique gift).[14]

Il fatto di voler affermare la sua originalità, è la prova della sua vulnerabilità e del terrore ancora vivo dell'imitazione. Bloom cita una poesia di Shelley in cui risalta in primo piano il fantasma di Wordsworth:

> Here, at his end, Shelley is open again to the terror of
> Wordsworth's "Intimations" ode, and yields to his precursor's
> "light of common day":
>
> I among the multitude
> Was swept – me, sweetest flowers delayed not long;
> Me, not the shadow nor the solitude,
>
> Me, not that falling stream's Lethean song;
> Me, not the phantom of that early Form
> Which moved upon its motion – but among
>
> The thickest billows of that living storm
> I plunged, and bared my bosom to the clime
> Of that cold light, whose airs too soon deform.[15]

Shelley, dal terrore dell'imitazione di Wordsworth, specifica più volte: "Me, not the shadow", "Me, not the phantom".

A mio avviso, il rapporto Eduardo-Pirandello ha tutte le
caratteristiche di un rapporto poetico padre-figlio ed è in
base a questa analogia che svolgerò il mio discorso. Il rapporto Eduardo-Pirandello può essere diviso in tre "momenti":
nel primo, Eduardo, giovane autore, è alle prese con due "padri", quello naturale Eduardo Scarpetta e quello letterario,
Luigi Pirandello. Questi due "padri" sono già stati individuati
da Franca Angelini:

> In primo luogo pensiamo al suo rapporto col padre, Eduardo
> Scarpetta. Dopo aver imparato da lui il mestiere, Eduardo ha
> cercato in ogni modo di dimenticarlo, inventando una dram-
> maturgia in cui i padri erano simbolici, e ha guardato sia a un
> passato prescarpettiano sia a un presente autorevole e autori-
> tario, rappresentato da Pirandello.[16]

Il primo momento è quindi quello in cui Eduardo attua
una riforma dello Scarpetta accostandosi a Pirandello. Tuttavia, il giovane e promettente autore napoletano non è in

grado di fare i conti con il concettualismo pirandelliano, e finisce per svuotare la tematica pirandelliana della sua componente filosofica, lasciando prevalere soprattutto il comico che lo caratterizza nelle sue primissime produzioni.

Il secondo momento inizia con le opere del '45 in poi ed il terzo con le opere degli anni Sessanta. È qui che il rapporto Eduardo-Pirandello entra in una fase critica e conflittuale. Dopo aver superato lo Scarpetta, Eduardo vuole misurarsi col genio, l'arte, la grandezza di Pirandello. Questa volta, a differenza di quanto accade nella prima fase, Eduardo vuota espressamente la tematica pirandelliana della sua "tragicità", e l'imitazione si tinge, o addirittura si veste di ironia: ciò che Bloom chiama *Clinamen*-irony, il modo in cui il poeta fa dell'ironia sul suo precursore. Per fare un esempio, in *Questi fantasmi!* una delle più belle commedie del teatro eduardiano, Eduardo fa magistralmente la caricatura di Ciampa, protagonista de *Il berretto a sonagli*, "trasfigurato da una gallina in braccio":[17]

> **Pirandello** – Entra dall'uscio in fondo Ciampa: sui quarantacinque anni;[18]
> **Eduardo** – Pasquale entra dall'ingresso. È un uomo sui quarantacinque anni.[19]
> **Pirandello** – Porta all'orecchio destro una penna.
> **Eduardo** – Porta con sé, e la stringe fra l'avambraccio destro e il petto, una gallina.

Con la sostituzione della "penna" con una "gallina", Ciampa viene privato del suo dramma interiore, è trasfigurato e ridotto a "poca cosa", a una dimensione spicciola, quotidiana, dove ciò che conta è la sopravvivenza: la filosofia di Napoli qui si fonde e si confonde con l'arte della quotidianità, con l'essenza della poesia di Eduardo, con l'esigenza imperativa della vita... che continua sempre e comunque!

Nel terzo momento del rapporto Eduardo-Pirandello, Eduardo, colto dal terrore di ricadere nell'imitazione, vede la necessità di giustificarsi con il suo pubblico. Come Shelley nei confronti di Wordsworth, nell'opera *L'arte della comme-*

dia del '64, Eduardo vuole precisare che questa volta Pirandello non "c'entra": "No, Eccellenza. Pirandello non c'entra niente: noi non dobbiamo trattare il problema dell'"essere e del parere."[20] Con quest'ultima dichiarazione, Eduardo esige dai posteri e dalla storia dell'arte e della cultura, di essere ricordato per quello che sa fare, per la sua grande e inimitabile capacità di rappresentare, attraverso la recitazione, la vita di tutti i giorni.

A questo punto è necessario aprire un discorso sulla vita di Eduardo, per capire le fonti della sua ispirazione, la sua formazione artistica e la sua crescita interiore.

Eduardo nasce a Napoli nel 1900, dalla relazione amorosa fra Eduardo Scarpetta,[21] celebre attore del teatro napoletano del tempo, e Luisa De Filippo: nipote della sua legittima moglie Rosa De Filippo. Il tema dei figli illegittimi verrà trasportato sulla scena in *Filumena Marturano* (1946) e *De Pretore Vincenzo* (1957), commedie che si nutrono di elementi autobiografici.

Lo Scarpetta lo avvia tredicenne alla carriera teatrale nella propria compagnia. E qui che Eduardo e i suoi fratelli scoprono e assimilano l'arte della recitazione, essenzialmente basata sulla tecnica usata dai commedianti del teatro pulcinellesco San Carlino.[22] Fonda nel 1931 con i fratelli, Peppino e Titina, la compagnia "Teatro Umoristico I De Filippo".

Le doti ereditate dal padre vanno perfezionandosi, e all'età di trentun anni con *Natale in casa Cupiello* (1931) Eduardo viene già considerato di molto superiore allo Scarpetta. Egli sente però l'esigenza di superare la dimensione locale e folcloristica del teatro napoletano. Nicola Chiaromonte in *Scritti sul teatro* osserva che:

> Non soddisfatto della forma raffinata che egli ha saputo dare al teatro napoletano tradizionale e della maschera personalissima che ha saputo sostituire a quelle di Pulcinella e di Sciosciammocca, Eduardo vorrebbe risolvere riunendo in una sola vena l'ispirazione genuina del teatro popolare e la forma del teatro colto e uscendo così una volta per sempre dalle strettoie

regionali.[23]

Ed a tal proposito, va tenuto presente un aspetto fondamentale della letteratura napoletana, del quale Eduardo non poteva non essere consapevole. La tradizione letteraria napoletana tende a ripiegarsi su se stessa. Lo scrittore napoletano Raffaele La Capria ne *L'armonia perduta* (1986), riflettendo sulle esperienze letterarie napoletane in rapporto alla città, parla appunto di "autoreferenzialità" della letteratura napoletana:

> Cioè, proprio il fatto di riferirsi continuamente a Napoli come problema e di ruotare perennemente intorno al discorso su Napoli, personaggi, situazioni, ambienti tipicamente napoletani, ne definisce il limite e la fa definire, appunto, napoletana. Perché tutto questo diventa alla fine un modo regressivo e rassicurante di rinchiudersi nella propria piccola identità per non affrontare coi mezzi della letteratura il grande mare della modernità, cioè il divenire e il trasformarsi del nostro tempo.[24]

Eduardo quindi guarda con grande ammirazione al suo secondo "padre", Luigi Pirandello, che rappresenta un punto di riferimento indispensabile nel panorama teatrale e letterario internazionale. Ce lo conferma Italo Moscati in uno studio da lui svolto nel 1997, e realizzato per la prima edizione del Premio "Eduardo De Filippo": "Eduardo già negli anni '30, aveva voglia di andare a fondo nel suo lavoro, e di tenere il passo con il più grande autore italiano di quei tempi e di tutti i tempi: Luigi Pirandello."[25]

L'incontro fra il giovane Eduardo ed il vecchio Pirandello avviene nel '33 alla rappresentazione di *Natale in casa Cupiello*, quando il grande drammaturgo va a trovarlo nel suo camerino del Teatro Sannazaro di Napoli. "I De Filippo", diventati ormai una delle compagnie più popolari degli anni trenta, attira la curiosità anche del maestro siciliano, il quale, come ricorda il critico Giovanni Antonucci, "era uomo di spettacolo dai gusti tutt'altro che facili e molto attento ai valori della messinscena."[26] È in questo momento che Pirandello affida ai tre fratelli la versione napoletana di *Liolà*. Peppino, il fratello di Eduardo ricorda così la sera della prima di *Liolà*:

> Pirandello era venuto a Milano ad assistere alla messa in scena della sua commedia. La sera della "prima", mentre con lo scenografo e costumista Mario Pompei controllava gli ultimi lavori, il maestro capitò sul palcoscenico e cominciò a mettere il naso dappertutto. Non parlava [...] ma la sua faccia la diceva lunga assai sui suoi pensieri. Insomma a Pirandello niente andava per il verso giusto [...]. All'ora stabilita, [...] si aprì il sipario. Io mi lasciai alle spalle i miei mugugni e fui *Liolà*: un Liolà che portò la commedia a un successo travolgente. [...] Alcuni spettatori riconobbero Pirandello in platea e lo sollevarono di peso, mentre altri si scansavano per aprirgli la via fino a noi. Così ci raggiunse e venne a prendersi la sua parte di applausi.[27]

Nel '36, Eduardo porta in scena e recita *Il berretto a sonagli* di Pirandello: è un successo travolgente! L'anno dopo, nell'aprile del '37, a pochi mesi di distanza dalla morte di Pirandello, egli rappresenta *L'abito nuovo*, un'opera che Eduardo ha tratto dalla novella pirandelliana. E a proposito è utile ricordare una lettera, scritta da Eduardo a Pirandello nel 1936, poco dopo la scomparsa del grande maestro siciliano. Questa lettera non solo testimonia dell'affetto sincero e dell'ammirazione profonda, vera, che Eduardo prova per Pirandello, ma conferma che Eduardo conosce a fondo le opere dell'autore siciliano:

> Nel 1919, una sera di non ricordo qual mese, sul manifesto del teatro Mercadante era annunciato *Sei personaggi in cerca di autore*. Avevo poche lire in tasca ed una gran voglia di sentire il lavoro. Ero in compagnia di un mio carissimo amico, Michele Galdieri; avevamo la stessa età (19 anni); lo stesso desiderio di assistere allo spettacolo e le stesse poche lire in tasca. Il teatro era gremito. C'informammo al botteghino; non c'era che un palco lateralissimo di quarta fila; riunimmo il capitale e riuscimmo a stento ad aquistarlo. Quello del betteghino disse: "Il program-

ma costa una lira". Michele Galdieri rispose: "Grazie, non occorre!"

Serata indimenticabile. Attraversammo I corridoi del teatro alla fine dello spettacolo, muti tra la folla che "discuteva Pirandello". Posso ancora oggi sentire la malinconia che mi lasciò nel cuore la certezza di non poterLa conoscere personalmente. Due anni dopo, all'uscita dal Politeama, non ricordo quale Compagnia vi agiva, tra la folla degli spettatori che lasciavano il teatro c'era anche Lei. Gridai: "Viva Pirandello". E l'applauso della folla diventò ovazione. Poi non La vidi più. La mia strada un po' spinosa era un'altra. Leggevo tutti i suoi romanzi; volta a volta tutto il suo teatro; tutte le novelle. Quando al Sannazaro nel 1933, giunse anche a Lei il nome dei De Filippo e fu spinto dalla curiosità a sentire questi attori, mi fu annunziata una sua visita. Fu Achille Vesce, il critico de *Il mattino*, che mi procurò questa gioia. Io La ricordo seduto nel mio camerino accanto a me, Titina e Peppino: e fu la sua semplicità che mi spinse a chiederle il permesso di tradurre *Liolà*. E quella sera stessa le parlai della sua novella *L'abito nuovo* e della possibilità di farne una commedia. Lei promise che ci avrebbe pensato al ritorno dall'America. *Liolà* andò in scena all'Odeon di Milano dopo venticinque prove, alle quali Lei fu sempre presente, dandomi consigli, intonazioni e suggerimenti. Il successo fu pieno, con ventidue chiamate per Lei e per Peppino che era *Liolà*. Tutto lo spettacolo fu portato all'Argentina di Roma ed alla decima replica Lei si dovette accontentare di una sedia aggiunta. A Napoli ci incontrammo ancora. Lei era di ritorno dall'America e m'invitò a colazione all'Albergo Excelsior. Riparlammo della novella, della possibilità di farne una commedia, e Lei mi disse: Facciamola insieme! Se io scrivo la commedia in italiano, lei poi la dovrà tradurre. Se invece i dialoghi li scriviamo insieme, il personaggio centrale parlerà con le sue parole ed allora sarà più vivo, più reale!

A Roma durante l'ultima stagione che feci al Valle nel dicembre del 1935 per quindici giorni, dalle 5 del pomeriggio alle 8 di sera, sono stato al suo scrittoio. Lei era seduto di fronte a me in un'ampia poltrona, ed ogni tanto mi passava dei pezzettini di carta con le battute segnate da Lei che davano il via alle scene principali. E per quindici gioni, dalle 5 del pomeriggio alle 8 di sera, io traducevo in vernacolo il suo pensiero. Così è nato *L'abito nuovo*.

Sullo scrittoio c'era un volume de *Il berretto a sonagli*. Lei mi disse: Perché non lo mette in scena? Infatti un mese dopo al Fiorentini di Napoli per venticinque sere *Il berretto a sonagli* trionfò con ventidue esauriti.

Dopo, la compagnia debuttò a Milano e durante le repliche de *Il berretto a sonagli* ricevetti un suo telegramma. Io le scrissi una lettera in risposta dicendo che non mi sentivo tanto bene e che *Il berretto a sonagli* mi aveva affaticato troppo e le chiedevo di rimandare all'anno prossimo il varo de *L'abito nuovo*. Non ebbi risposta. Evidentemente Lei era in collera con me. Dopo quattro mesi ci incontrammo al funerale del povero Petrolini. Il 16 novembre, al Quirino la Compagnia iniziava la stagione con la prima de *Il berretto a sonagli*. Lei venne nel mio camerino dopo il secondo atto, ed io le dissi: Maestro, Lei è stato un poco in freddo con me perché non ho messo in scena la nuova commedia. Posso dirle una cosa? Il suo spirito è tanto giovane che le dà l'aria dell'autore novellino che si presenta al capo-comico con il copione sotto il braccio, e la febbre di veder rappresentato il suo primo lavoro. Lei mi rispose queste parole che non dimenticherò più: Ma tu, caro Eduardo, puoi attendere; io no! Allora fissammo l'appuntamento per il sabato 5 dicembre. Non so altro, Maestro. So che dal 10 dicembre il copione de *L'abito nuovo* attendeva i suoi interpreti. Oggi sono alla decima prova della commedia e Lei è qui; giuro, anche nei giorni scorsi, Lei era qui. Mi suggeriva le intonazioni, l'ho visto vibrare e vivere la parte insieme a me. Qualche volta mi ha detto pure: bravo! Non c'è dubbio, ci credo fermamente: Lei è qui!

Ora mi guarda sorridendo. Non è più uno sguardo di rimprovero. Grazie. Ed allora se mi ha perdonato, io trovo il coraggio di dirle: sono stato uno sciocco, non dovevo crederle, perché quando nella vita si assume la parte di Pirandello non si muore. Io nella vita ho assunto la parte di attore ed allora posso non credere alla sua morte.

Maestro, per l'amor di Dio venga a tutte le prove: ho bisogno della sua assistenza: e per carità non manchi alla prima rappresentazione![28]

La compagnia del teatro Umoristico "I De Filippo" si scioglie definitivamente il 10 dicembre del '44. La tensione tra i due fratelli è dovuta a molteplici motivi, amministrativi e familiari, ma è la differente personalità dei due fratelli che determina la rottura finale. Giovanni Antonucci racconta che "secondo Peppino, il solo di cui abbiamo la versione, la maggiore responsabilità si deve attribuire a Eduardo e in particolare, al suo egocentrismo che lo porta a privilegiare il suo ruolo, rispetto a quello del fratello."[29]

Quali che siano le ragioni di questa rottura, i due artisti finiscono su strade diverse: quella tragico-umorista di attore-autore di Eduardo, e quella comico-grottesca di Peppino. Quest'ultimo punta a conservare la memoria del passato, mentre Eduardo è attirato da una drammaturgia di maggiori ambizioni, come giustamente osserva Franca Angelini: "Da un lato l'eredità della tradizione comica napoletana, il grande Pulcinella filtrato da Scarpetta, dall'altro, Eduardo come autore nuovo che si stava formando, e che di lì a pochi mesi avrebbe scritto *Napoli milionaria*,"[30] un capolavoro che raccoglie consensi unanimi.

Con questo distacco si apre la seconda fase della carriera drammaturgica di Eduardo. Come abbiamo visto Eduardo vuole fare i conti con la modernità drammaturgica, vuole misurarsi coi caratteri fondamentali dell'avanguardia europea, entrati nella letteratura italiana con Pirandello: "La crisi delle ideologie e il conseguente relativismo, il gusto per il paradosso, la tendenza alla scomposizione e alla deformazione grottesca ed espressionistica, la scelta della dissonanza, dell'umorismo, dell'allegoria."[31]

Qui va fatta una considerazione importante. Pirandello occupa un posto di rilievo nella cultura europea; Eduardo, sebbene abbia dato al teatro italiano risonanza internazionale, non raggiunge però la stessa dimensione artistica di Pirandello. La Capria in proposito scrive:

Inutile dirsi che Di Giacomo vale Verlaine, De Filippo vale Pirandello, Viviani vale Brecht e la Serao, magari, Maupassant, perché non è vero. È vero che sono autentici, che nei momenti migliori hanno raggiunto una grande intensità poetica e comunicativa, ma non possono onestamente rientrare nella tradizione grande-borghese europea, non dico nella vita ma, nella concezione artistica, nelle idee che ne sono il fondamento perché sono tutti piccoli-borghesi.[32]

Va ricordato che Pirandello si era laureato in filologia romanza all'università di Bonn in Germania e fu soprattutto letterato. Eduardo invece è prima di tutto attore, figlio di un grande attore, fratello di un bravissimo attore e di una sorella anche lei attrice straordinaria. Il Frascani ricorda che dopo la rappresentazione de *Il berretto a sonagli* Pirandello ringraziò commosso Eduardo "che aveva definito, approfondito il personaggio di Ciampa, con essenzialità espressiva così interiorizzata e afferrante, da portare gli spettatori all'entusiasmo."[33] La critica nell'esaminare l'opera defilippiana, sottolinea la messinscena, cioè la regia di commedie scritte con sapienza teatrale. Frascani parlando di Eduardo "attore-regista" dice che "Eduardo regista ha raggiunto la maestria, dopo essersi fatto le ossa sui propri copioni, e ciò gli consente oggi di poter quasi tutto osare."[34] Infatti, Eduardo dimostrerà sempre meglio proprio questa capacità. Con la sua compagnia "Il teatro di Eduardo" che egli fonda nel '44 e che dirigerà fino alla sua morte che avviene il 3 novembre 1984, egli mette in scena le proprie commedie ma cura la regia di altri autori incluso Pirandello. Eduardo realizza e dirige dodici film, tra cui la celebre commedia *Napoli Milionaria* del '45, *Filumena Marturano* del '46, e *Questi fantasmi!* dello stesso anno. Pirandello invece non fu mai un regista, anche se dalla metà degli anni venti ha una sua compagnia, la compagnia Pirandelliana fondata insieme a Marta Abba. Il critico Enzo Lauretta, in un saggio intitolato *Il drammaturgo,* ci dice appunto che se Pirandello giunse al teatro con ritardo rispetto alla poesia e alla narrativa, fu forse perché preferiva l'assoluta padronanza della pagina scritta del romanzo e della novella, alla collaborazione teatrale, vissuta da lui come ingerenza da parte del regista:

> Da parte sua Pirandello respinge l'opera del *régisseur* tuttofa-re, convinto d'essere il padrone assoluto del palcoscenico, deci-so a manovrare ogni cosa, persino gli attori, a trasformare il teatro in uno spettacolo stupefacente e grandioso nei suoi effet-ti scenici, ostinato a monopolizzare l'interpretazione del testo e a sostituirsi continuamente all'autore.[35]

Lauretta cita un saggio di Pirandello in cui il drammatur-go si dichiara "nemico del palcoscenico":

> Nemico non dell'arte drammatica, bensì di quel mondo postic-cio e convenzionale del palcoscenico, in cui l'opera d'arte dram-matica è purtroppo, inevitabilmente, destinata a perdere tan-to della sua verità ideale e superiore, quanto più acquista di realtà materiale, a un tempo e fittizia. Per me l'opera d'arte, tra-gedia, dramma, commedia, è compiuta, quando l'autore l'ha con-venientemente espressa: quella che si ascolta in teatro è una traduzione di essa… che… guasta e diminuisce…[36]

Questa polemica si ritrova in *Questa sera si recita a sog-getto,* dove Pirandello dichiara che ciò che conta è il rappor-to dell'autore con gli attori. Il regista non serve, e ciò lo di-mostra attraverso la figura del dott. Hinkfuss, contestato e ridicolizzato dagli attori:

> HINKFUSS Ho in questo rotoletto di poche pagine quello che mi serve. Quasi niente. Una novelletta, o poco più, appena ap-pena qua e là dialogata da uno scrittore a voi non ignoto […] Ecco, lo dico: Pirandello […] Ho preso una sua novella, come avrei potuto prendere quella d'un altro. Ho preferito una sua, perché tra tutti gli scrittori di teatro è forse il solo che abbia mostrato di comprendere che l'opera dello scrittore è finita nel punto stesso ch'egli ha finito di scrivere.[37]

Eduardo vuole appunto dimostrare proprio l'importanza della regia, tanto svalutata da Pirandello. La didascalia che segue, tratta da *Questi fantasmi!* di Eduardo, potrebbe essere una caricatura dello stesso Pirandello spettatore dei suoi personaggi:

> Pasquale incantato gira da una parte all'atra della scena osservando or l'uno ora l'altra. Il tutto, gli dà l'impressione di uno spettacolo fantastico. Per vedere meglio sale sulle sedie, sui tavoli: assiste come uno spettatore che ha pagato il biglietto.[38]

Una vendetta? Forse. E non stupisce il fatto che Eduardo abbia sempre negato l'influenza del maestro siciliano perché come sappiamo dalla teoria freudiana, la negazione è il primo meccanismo di difesa. Bloom infatti dice:

> Every major aesthetic consciousness seems peculiarly more gifted at denying obligation as the hungry generations go on treading one another down. Stevens, a stronger heir of Pater than even Wilde was, is revealingly vehement in his letter: "While, of course, I come down from the past, the past is my own and not something marked Coleridge, Wordsworth, etc. I know of no one who has been particularly important to me. My reality imagination complex is entirely my own even though I see it in others."[39]

E Bloom risponde a quest'ultima frase: "He might have said: particularly because I see it in others."[40] In *A Map Of Misreading* Bloom dice che più il poeta nega l'influenza dei predecessori, più s'inganna:

> [...] and all poets, weak and strong, agree in denying any share in the anxiety of influence. More than ever, contemporary poets insist that they are telling the truth in their work, and more than ever they tell continuous lies, particularly about their relations to one another and most consistently about their relations to their precursors.[41]

Isabella Q. De Filippo, la moglie di Eduardo, in un bellissimo libro intitolato *Eduardo,* che raccoglie polemiche, pensieri e pagine inedite del marito, riporta un colloquio di Eduardo con gli studenti della Scuola di drammaturgia dell'Università di Roma. Confrontiamo la risposta alla seguente domanda con la lettera di Stevens:

DOMANDA: La critica è divisa sul suo Pirandellismo, cioè se il suo incontro col grande autore siciliano ha influenzato o meno la sua produzione. Cosa può dirci in proposito?
RISPOSTA: Io questo Pirandellismo attribuitomi dai critici non lo capisco, se devo dire la verità. Che vuole dire? Che cosa vogliono dire? Che ho copiato da Pirandello, che mi sono appropriato della sua tematica? Se è questo che si intende per Pirandellismo, mi pare che non sia neanche il caso di parlarne, tanto è ovvio che, a cominciare dalla mia concezione del teatro a finire con i miei personaggi spesso poveri e affamati, spesso maltrattati dalla vita, ma sempre convinti che una società più giusta e umana sia possibile crearla, niente potrebbe essere più lontano dall'idea teatrale di Pirandello e dai suoi personaggi. Se poi, per Pirandellismo s'intende che io ho avidamente letto, ascoltato e amato il suo teatro, che l'ho conosciuto e venerato, che ancora oggi, se penso a lui, alla sua intelligenza lucida e scintillante, al suo humour, alla sua umanità, mi sento prendere da una nostalgia tremenda e da un senso di perdita irreparabile, allora sì: sono ammalato di Pirandellismo.
Tutti noi scrittori e anche tutti noi uomini dobbiamo molto al genio di Pirandello. Quando Arthur Miller dice che se non ci fosse stato lui, egli scriverebbe diversamente, dice cosa giusta, ma quando si volesse accusare Miller di Pirandellismo, ecco, sarebbe inaccettabile.[42]

Effettivamente il personaggio eduardiano è diverso dal personaggio pirandelliano, e soprattutto dove più evidente appare l'influenza pirandelliana, ma è proprio perché Eduardo vuole sempre rimanere fedele al personaggio semplice, derivante dalla tradizione napoletana, oppure non può esserci anche una reazione contro il grande maestro? Come dice Lichtenberg, "to do just the opposite is also a form of imitation"[43] D'altra parte, l'uso dell'antitesi è una delle reazioni previste dalla teoria di Bloom. Eduardo, come abbiamo visto, esclude categoricamente l'influenza pirandelliana, il che conferma la teoria di Bloom. In altre parole, finisce per verificarsi ciò che era già avvenuto con l'esempio scarpettiano: da un lato lo fa suo e dall'altro lo respinge.

Le vicende di questo rapporto tormentato saranno tracciate nelle pagine che seguono.

Parte Prima

PIRANDELLO NELL'ESPERIENZA GIOVANILE DI EDUARDO

CAPITOLO I

Uomo e galantuomo (1922)

La prima opera di Eduardo è *Farmacia di turno* (1920). Con questa commedia Eduardo inizia la propria esperienza di autore dopo la lunga esperienza di attore. Ci ritroviamo ancora nel filone della tradizione scarpettiana, davanti alla rappresentazione di fatti umili in chiave farsesca. *Uomo e galantuomo* del 1922, commedia in tre atti, (rappresentata per la prima volta con la compagnia "Teatro Umoristico I De Filippo", il 23 febbraio 1933 a Napoli, al Teatro Sannazaro) appare opera ben più matura e contiene già i primi elementi innovativi, e in cui si possono trovare le prime tracce dell'influenza pirandelliana. Il critico Giovanni Antonucci nota che "anche qui siamo in piena tradizione scarpettiana, ma essa è rielaborata con un senso degli effetti scenici assai abile e alla luce di un pirandellismo per nulla programmatico."[44]

Il primo atto si svolge in un albergo dove sono alloggiati una compagnia di poveri guitti. Cucinano e fanno il bucato di nascosto nelle stanze dell'albergo e allo stesso tempo ripetono le scene che dovranno recitare. La scena ruota attorno all'amore dell'impresario della compagnia, Alberto, per Bice, una ragazza del luogo che dopo qualche tempo gli si concede e che egli crede nubile. Bice però si concede ad Alberto per ripicca, in reazione all'infedeltà del proprio marito, un ricco medico, il conte Carlo Tolentano. Quando questa rivela ad Alberto di essere incinta, Alberto vuole fare il suo dovere e sposarla, ma Bice inventa mille scuse: la malattia di cuore di sua madre, un fratello terribile che potrebbe ucciderlo. Tuttavia, con l'aiuto di un attore della propria compagnia, Alberto riesce a scoprire dove abita Bice e si reca a chiedere la mano alla madre di lei. Costei, allibita, lo informa che la figlia è già sposata. Arriva Bice. Alberto chiede spiegazioni perché non può credere a ciò che ha scoperto. Intanto, il conte Carlo, non visto da loro, sente le parole di Alberto e viene fuori, chiedendo minacciosamente conto ai due amanti. Per salvare l'onore di Bice, Alberto si finge pazzo, e recita così bene la sua parte che il conte lo fa arrestare e trasportare al manicomio. Ma al commissariato si scopre che pazzo non è, e a questo punto il conte esige che Alberto continui la finzione minacciando di ucciderlo per motivo d'onore in caso contrario. La situazione improvvisamente si capovolge. Bice presenta al commissario le prove che il marito l'aveva tradita prima ancora che essa conoscesse Alberto. A questo punto anche il conte si finge pazzo per salvare il proprio onore. Lo stesso decide di fare Don Gennaro, il capocomico portato anch'egli in commissariato perché non può pagare i conti dell'albergo. Tutto finisce con una pazzia generale simulata, perché tutti i protagonisti comprendono che solo la simulazione li fa uscire indenni dalla ingarbugliata situazione in cui si sono messi.

L'accostamento a Pirandello è riconoscibile dalla tecnica del "teatro nel teatro", dalla prevalenza del tema della pazzia simulata e dalla denuncia delle convenzioni sociali. In Eduardo, però, la farsa rimane tale: è assente il "conflitto", il "dramma" che caratterizza le opere pirandelliane.

Il primo atto si svolge in un albergo e mette in evidenza la povera vita di questi zingari, costretti a cucinare di nascosto, e allo stesso tempo provare le scene che dovranno recitare. Questa tecnica della doppia recitazione o meglio del "teatro nel teatro" come sappiamo era stata appena realizzata un anno prima da Pirandello con *Sei personaggi in cerca d'autore* (1921). Con quest'opera l'autore apre una nuova fase della sua attività teatrale. Si stacca definitivamente dai modi della drammaturgia naturalistica e la scena non è più addobbata ma è semplicemente vuota. Il critico Enzo Lauretta dice che: "lo scrittore dà vita ad una nuova struttura teatrale nella cui vicenda il personaggio entra in collisione con il fatto-prigione della sua condizione umana"[45]. Questa novità non poteva non colpire il giovane Eduardo che, come già detto nell'Introduzione, aveva assistito alla rappresentazione di quest'opera appena diciannovenne. Tuttavia, di questa formula "teatro nel teatro" Eduardo sfrutta solo la tecnica della doppia recitazione. La crisi del rapporto arte-vita e tutto il contenuto filosofico, la creazione di protagonisti completamente "autonomi" nei confronti dell'autore è completamente assente. Eduardo continua quindi ad essere ancorato alla tradizione della doppia recitazione delle commedie parodiche di Eduardo Scarpetta, come *Miseria e Nobiltà* (1888), fondata soprattutto sull'equivoco e sul travestimento, e in cui Felice Sciosciamocca e i suoi miseri compari convengono travestiti da nobili nel salotto di Don Gaetano, un bottegaio arricchito.

Risulta trasposto in Eduardo la funzione dell'attore che recita la parte dell'attore, ma è sempre assente il "dramma". I personaggi di Eduardo s'interessano piuttosto a problemi "concreti". La commedia si apre sul dialogo fra la prima attrice e un'altra attrice mentre stendono i panni appena lavati sul terrazzo dell'albergo:

FLORENCE Viola, Violetta…he' fatto cu' 'sti panne? Io 'a fune ll'aggio miso, fa' ampressa. Ce sta 'nu bello sole, sa' comme s'asciuttano ampressa.
VIOLA Mo', mo'. Chisti parevano poche poche, invece è 'nu muntone 'e panne.
FLORENCE Ih che bello debutto facettene aiere sera. Giesù, io n'aggio visto pubblici scostumati, ma comme a chisti… già, Dio te ne scanza e libera da 'e signori.
VIOLA Facevano 'e spiritosi…
FLORENCE No, chille facettere 'e pernacchie […][46]

Le due donne si lamentano dell'atteggiamento sgradevole del pubblico. La prima attrice dice che sono stati "scostumati" e che hanno fatto le "pernacchie". Niente di conflittuale in tutto questo. Le preoccupazioni sembrano essere spicciole e banali. Le "pernacchie" sembrano mettere in rilievo il comico piuttosto che mettere in evidenza il disprezzo del pubblico. Il mondo degli attori rappresentato da Eduardo ha una connotazione sostanzialmente plebea, perché incentrato unicamente sul problema della sopravvivenza. L'ossessione dei personaggi scarpettiani in *Miseria e Nobiltà* è di mangiare regolarmente. Lo stesso problema sembra preoccupare il personaggio eduardiano: Gennaro, il capocomico, andrebbe volentieri al manicomio al posto di Alberto purché gli si desse da mangiare per due anni:

ALBERTO Intanto sapite che è succieso?...È venuto 'o Conte ccà e m'ha ditto che mo' pe' salva' l'onore d' 'a mugliera, o me faccio chiudere dinto a 'nu manicomio pe' 'nu pare d'anne, o si no me tira 'nu colpo 'e rivoltella.
GENNARO Embe', e vuie facite tanta ammuina? Vulesse 'o Cielo e stesse io 'o posto vuosto...tenarrìa pe' dduie anne 'o mangia' franco.[47]

Per Eduardo si tratta di rendere verosimile la finzione, in Pirandello il teatro non è finzione. Gli "attori" di Pirandello si trovano di fronte al problema della rappresentazione, della realtà dei sei personaggi. La prova dell'attore per Eduardo è focalizzata sul problema tecnico. Gennaro, il capocomico, ricorda ad un attore l'importanza di saper leggere il copione:

GENNARO Fammi vedere. Ecco, sempre perché leggi solamente il dialogo. Devi leggere pure a sinistra, i personaggi. Il secondo no, non è suo, è mio! E poi bisogna badare alla punteggiatura.[48]

L'altro tema che sembrerebbe accomunare i due autori è la pazzia simulata. Anche la pazzia, vera o falsa che sia, è abbastanza ricorrente nella tradizione del teatro San Carlino (dello Scarpetta si ricorda *'O Miedeco d'e pazze*), ma è anche tema fondamentale dell'opera pirandelliana. *Il berretto a sonagli* (1916) infatti è il principale elemento di collegamento per il tema della finta pazzia legata alla morale e all'onore. Il Ciampa è costretto a sdoppiarsi in due dimensioni: quella della propria intimità e quella della società.

In Eduardo il dramma della dualità è assente e prevale la farsa. Nel secondo atto di *Uomo e galantuomo* Alberto ha finalmente scoperto l'indirizzo di Bice e si presenta alla madre dichiarando di volerla sposare. La donna, sconvolta, gli dice che sua figlia è già sposata col conte Tolentano, il quale sente le parole di Alberto e scopre la tresca. Alberto, per salvare l'onore di Bice, si finge pazzo:

CARLO (*a Bice*) Conosci quell'uomo? È vero quanto ha detto? Sì o no?... Vuoi parlare?
BICE Io non lo conosco... non l'ho mai visto... te lo giuro?
CARLO (*ad Alberto*) Allora signore, mi spiegherete il motivo di questa vostra visita... Ho il diritto di domandarvi spiegazioni!
ALBERTO (*calmissimo*) Ma io non ho nessuna colpa se il moto perpetuo non è un fatto compiuto... *Tutti lo guardano meravigliati.* ...e poi, abbiate compassione di questo povero perseguitato dalla sorte, [...] Ma io mi rivolgo alla sorella di Carnevale per ricevere l'onore di porgerle i saluti di Muzio Scevola, direttore generale della Rinascente, nonché segretario ed Amministratore di Giuseppe Garibaldi, discendente diretto del Duomo di Milano! (*Abbozza dei passi*) La llà ra llà ri...
CARLO È pazzo!
BICE È pazzo![49]

Nel terzo atto il conte, che ormai ha scoperto la verità, vede l'onore di casa sua rovinato. E a questo punto esige da Alberto di continuare la finzione:

CARLO Oggi tutti vi credono pazzo, dunque è salvo il mio onore. Nonostante tutto mia moglie resterà sempre presso di me... Grazie alla vostra geniale trovata, lo scandalo non è avvenuto. Ed era quello che soprattutto mi spaventava. Voi non troverete onesta questa mia soluzione... Potreste, però comprenderne la necessità, occupando il posto che io occupo in società e aggiungendo ai vostri altri vent'anni. Signor Alberto, convincetevi, io riuscirei a spezzarvi in due... ma... non lo faccio. Crepo, prima di provocare uno scandalo. Ora per evitarlo del tutto c'è un unico mezzo che v'impongo: dovete rimanere pazzo, dovete farvi rinchiudere in manicomio senza ribellarvi e senza cercare di giustificarvi come ieri in casa mia e che fortunatamente non vi credettero.[50]

Nel *Berretto* il Ciampa, lo scrivano del signor Fiorica, viene tradito dalla moglie Nina proprio con Fiorica, ma preferisce seppellire lo scandalo e impone alla moglie del suo capo – che ha denunciato l'adulterio – di fingersi pazza in modo che la faccia rimanga salva:

> CIAMPA (*in mezzo a tutti che gridano: "una pazzia! Una pazzia!", all'improvviso, assorto in una idea che gli balena lì per lì, raggiante*) Oh Dio! Oh che bellezza! Oh che bellezza! Signori, pacificamente! Oh che bellezza! Sissignori… sissignori… Si può aggiustar tutto… Lei signora, vada a prepararsi… subito, subito!
> BEATRICE Ma insomma, perché? Debbo partire? Dove debbo andare? Vi ha dato di volta il cervello?
> CIAMPA A me? Nossignora! Ha dato di volta a lei il cervello, signora mia! Scusi, l'ha riconosciuto suo fratello Fifì, lo riconosce il Delegato; la sua mamma; lo riconosciamo tutti: e dunque lei è pazza! Pazza e se ne va al manicomio! È semplicissimo! […] Anche lei, signor Fifì? Non comprende che questo è l'unico rimedio? Per lei stessa! Per il signor cavaliere! Per tutti. Non capisce che sua sorella ha svergognato anche il signor cavaliere, e che deve dare anche a lui una riparazione di fronte al paese? Si dice: È pazza! E non se ne parla più! Si spiega tutto e solo così io non ho più niente da vendicare![51]

Il tema della finta pazzia in entrambi i casi si presenta sotto simili aspetti. In Eduardo la persona tradita (il conte) chiede all'amante della moglie di fingersi pazzo per salvare la faccia. In Pirandello il Ciampa chiede alla signora Fiorica (sua compagna di corna) di fingersi pazza per camuffare lo scandalo. Il Ciampa, però, rappresenta tutta la tensione drammatica della dualità dicendo "pupi siamo, caro signor Fifì!"[52] Ognuno di noi è un "pupo" e deve giocare la sua parte: "Perché ogni pupo, signora mia, vuole portato il suo rispetto, non tanto per quello che dentro di sé si crede, quanto per la parte che deve rappresentare fuori."[53]

Il Ciampa rappresenta il dramma dell'uomo in conflitto con se stesso: "A quattr'occhi" dice Ciampa "non è contento nessuno della sua parte: ognuno, ponendosi davanti il proprio pupo, gli tirerebbe magari uno sputo in faccia."[54] Nonostante si sia chiarito che legalmente non è stata scoperta alcuna prova dell'adulterio, si sente ferito perché la signora ha fatto "ridere" tutto un paese:

> CIAMPA [...] Lei ha scherzato; s'è passato questo piacere; ha fatto ridere tutto un paese; domani rifarà pace con suo marito... e io? Per lei sarà finito tutto ma io? Resto col verbale, che non c'è stato nulla? E debbo sopportarmi che tutti, domani, vengano a dirmi in faccia, con occhi dolenti: "Non è stato nulla, Ciampa; la signora ha scherzato!" Signor Delegato, qua, mi tasti il polso! Mi tasti il polso. Dica se ci avverte un battito di più. Io dico qua, con la massima calma, testimonio lei, testimoni tutti, che questa sera stessa, o domani, appena mia moglie ritorna a casa, io con l'accetta le spacco la testa.[55]

In Eduardo questo dramma non c'è. Il personaggio eduardiano non è, e non sarà mai, assediato dal conflitto interiore. Il conte rappresenta il personaggio borghese coinvolto nella finzione come ruolo sociale: "Nonostante tutto mia moglie resterà sempre presso di me... Grazie alla sua geniale trovata, lo scandalo non è avvenuto."[56] Dalle parole del conte traspare solamente la denuncia dell'ipocrisia che ritiene le convenzioni sociali più importanti della vita degli uomini:

> CARLO [...] Potreste, però comprenderne la necessità, occupando il posto che io occupo in società e aggiungendo ai vostri altri vent'anni. Signor Alberto, convincetevi, io riuscirei a spezzarvi in due... ma... non lo faccio. Crepo, prima di provocare uno scandalo, Ora per evitarlo del tutto c'è un unico mezzo che v'impongo: dovete rimanere pazzo, dovete farvi rinchiudere in manicomio senza ribellarvi e senza cercare di giustificarvi come ieri tentaste in casa mia e che fortunatamente non vi credettero.[57]

La commedia si chiude con una pazzia generalizzata. Al commissariato Carlo viene smascherato e di conseguenza si finge pazzo. A lui si unisce Gennaro, il capocomico:

CARLO Queste sono tutte frottole! Io non ho mai tradito mia moglie!
BICE Ho le prove, ho le prove!
LAMPETTI Silenzio, vergognatevi, e credete pure, non vi conviene di negare. Ecco la prova. Tutta una corrispondenza galante.
GENNARO E qui...
LAMPETTI Equivoca (*A Gennaro*) Va bene?
BICE Rispondi, traditore!
CARLO Ma io...
LAMPETTI Rispondete...
CARLO La llà ra llà ri...la llà ra llà rà...[58]

Questa esplosione di pazzia generale fa pensare al finale del *Berretto*:

CIAMPA (*mentre tutti fanno per portar via Beatrice, che seguita a gridare come se fosse impazzita davvero.*) È pazza! Ecco la prova: è pazza: Oh che bellezza! Bisogna chiuderla! Bisogna chiuderla! *Balla dalla contentezza, battendo le mani. Momento di gran confusione, anche perché alle grida sopravvengono i vicini e le vicine di casa Fiorica, con facce sbalordite, e chiedono a coro, più coi gesti che con le parole, che cosa sia accaduto. Ciampa, seguitando a batter le mani, festante, al colmo della gioja, e rispondendo ora all'una, ora all'altro:* È pazza! È pazza!... Se la portano al manicomio. È pazza![59]

Tuttavia, la reazione del Ciampa non ha nulla di comico, semmai illustra *l'Umorismo* pirandelliano: "Si butta a sedere su una seggiola in mezzo alla scena, scoppiando in un'orribile risata, di rabbia, di selvaggio piacere e di disperazione a un tempo."[60] Dall'anomalia di questa situazione, osservata dalla superficie esterna, si coglie il sentimento del contrario. Il divertimento del Ciampa è un divertimento amaro. Il motivetto finale del Conte invece "La llà ra llà ri..la llà ra llà ra...", più volte ripetuto nel corso della commedia, assurge a motivo burlesco. L'evento non smaschera nessun significato profondo, esistenziale. Eduardo come vediamo oscilla fra la lezione scarpettiana e quella contemporanea, ma finisce per preferire quella comica.

CAPITOLO II

Chi è cchiù felice 'e me! (1929)

Vincenzo, un piccolo massaro di Caivano nel circondario di Napoli, prudente amministratore della sua proprietà, evita tutto quello che può interrompere il suo quieto vivere. Si crede l'uomo più felice della terra con la moglie, Margherita, una donna "bella e onesta" come la definiscono i suoi amici. Vincenzo vive contento rintanato in casa per evitare gli imprevisti, fino al giorno in cui Riccardo, un giovane inseguito dai carabinieri per aver ferito qualcuno, sotto la minaccia della pistola costringe Vincenzo a dargli rifugio. In seguito, Riccardo continua a frequentare la sua casa e non passano due mesi che la sua "perfetta" moglie s'innamora di Riccardo, trascurando la casa ed il marito. I pettegolezzi dei vicini riescono a disturbare la pace di don Vincenzo, ma Riccardo lo rassicura della sua correttezza e lo informa di essere sul punto di trasferirsi a Milano. Vincenzo vuole dimostrare l'innocenza della moglie e chiama i vicini come testimoni. Nascosti, assistono ad un colloquio tra la moglie e Riccardo. Vincenzo sta per avere la prova che vuole, ma improvvisamente Margherita compie un gesto clamoroso in presenza di tutti: dà a Riccardo un abbraccio tanto appassionato da svelare quanto sia innamorata di lui.

Il progressivo accostamento di Eduardo a Pirandello, che lo stimola e lo forma, si fa sempre più evidente. La commedia è dominata dall'ironia della situazione rovesciata, dalla dimensione dell'imprevedibilità che, come sappiamo, è motivo prettamente pirandelliano. In Eduardo però, come nella commedia precedente, i temi vengono svuotati della loro "tragicità" e prevale il comico.

Il primo atto è incentrato sulla "felice" condizione di Vincenzo, come significativamente indica il titolo. Carlo Filosa ha notato "la tesi paradossale del tipo pirandelliano":

> I due atti di *Chi é cchiú felice e me?* come il titolo ironico avverte,
> s'iscrivono nel novero delle commedie a tesi paradossale, del
> tipo pirandelliano: essi, contro l'incauta illusione degli ottimisti,
> evidenziano la labilità delle mondane situazioni e la fallacia
> delle umane certezze sotto la sferza del caso, che agevolmente
> dissolve le convenzionali credenze o promesse degli uomini
> lasciando dominatrice, più o meno vanamente contrastata dalla
> norma morale e dalle leggi della società, la forza travolgente
> delle passioni e dei sensi.[61]

Don Vincenzo, oltre al denaro, possiede una moglie vir-
tuosa, bella ed economica, gliela invidiano tutti. Egli si sente
un privilegiato, un uomo fortunato perché Margherita gli è
fedele e condivide le sue idee: "Margari', mo' nuie simmo
felice overamente. Io pe' cunto mio; dico che 'ncoppo 'o munno
nun nce po' essere 'n 'omme cchiù felice e me. E songo pure
fortunato. Aggio truvato 'na mugliera che 'a penza tale e
quale a me, si tengo 'mmiria 'ncuollo è pe' te."[62] Vincenzo
specifica poi il motivo per cui ha tanta ammirazione per la
moglie: "Nun c'è che dicere, si' completa. Nun te manca niente, femmena 'e casa, economica, senza vizie e si pure bella
margari'... 'A casa m' 'a faie pare' 'nu Paraviso. 'O sole ce
trase pecché ce staie tu."[63]

Per Vincenzo ciò che conta è quello che riceve dalla moglie:
la casa tenuta bene. Non pensa che Margherita possa avere
esigenze proprie. Egli crede che l'isolamento e la sicurezza
finanziaria gli procurino la felicità e non si arrischia neppure
a pensare ad altri affari: "Io voglio sta' c' 'a pace mia, le linee
l'agio tirate, chello che tengo non me superchia, ma m'abba-
sta. Io aggi' 'a essere felice."[64]

La sua però è una felicità precaria, fragile, pronta a crol-
lare al minimo urto. In realtà Margherita non è rassegnata
al rapporto che ha col marito, un rapporto che tra l'altro le
ha imposto lui. L'atto si chiude con un capovolgimento della
situazione: proprio quello che egli temeva gli accadesse fuori, gli accade invece in casa sua. Riccardo, sotto la minaccia

della pistola, si rifugia proprio da lui:

> RICCARDO [...] Annascunniteme! Annascunniteme! 'a quac-
> che parte... 'E guardie, stanno venenne 'e guardie.
> VINCENZO Comme te vene 'ncapa 'e te ne fui' dint' 'a casa
> mia. Amico, io sono un pacifico cittadino e vi prego di uscire!
> RICCARDO Annascunneme, si no faccio trenta e uno trentu-
> no. (*Gli punta la rivoltella sul viso*)[65]

Anche qui, come vediamo, Eduardo fa prevalere l'accen-
tuazione farsesca, mettendo in evidenza il ridicolo del suo
personaggio.

Il secondo atto punta soprattutto sulla figura femminile.
Nonostante il tono farsesco, Eduardo studia a fondo il personaggio femminile il quale verrà sviluppato con maggiore
impegno anni dopo in uno dei suoi capolavori, *Filumena
Marturano* (1946). Filumena è senza dubbio, come si è detto,
un riferimento alla donna "ideale", alla famiglia "perfetta"
che egli aveva sempre desiderato. Maria Letizia Compatangelo scrive in *Scene madri del secolo breve*:

> Il tema della famiglia e delle sue trasformazioni nella società
> che si evolve è centrale nell'opera di Eduardo: la famiglia è
> una specie di laboratorio sperimentale dove cambiamenti e
> conflitti, epocali e generazionali, si condensano e si affastellano,
> chiedendo di essere affrontati e risolti. Ma dietro a tutto ciò,
> quello che sotterraneamente preme e chiede di essere affrontato
> e risolto, io credo sia il desiderio profondo di armonia che ha
> tormentato e assediato per tutta la vita quell'uomo difficile e
> pieno di contraddizioni che era Eduardo.[66]

Margherita invece è reale, esemplare di una condizione
femminile disperata. Il giudizio più interessante per quanto riguarda questo personaggio lo ha dato Laura Coen-Pizer, la quale definisce Margherita una sorta di "Madame
Bovary":

> Una sorta di Bovary della provincia meridionale, l'incosciente
> rivolta contro il mondo in cui vive e di cui è vittima, e contro

alcune convenzioni secolari dove la domesticità della donna è spesso solamente una forma di rassegnazione alla monotonia della vita ed una difesa contro l'inabilità di vivere la propria vita.[67]

Fiorenza Di Franco parla di "rivolta della donna" in quanto l'autore rivendica i diritti della donna, e denuncia l'uomo che considera la donna come oggetto. Un altro riferimento autobiografico forse? Peppino De Filippo, il fratello di Eduardo, in un libro di memorie intitolato *Una famiglia difficile* racconta:

> Le visite di Scarpetta in casa di Luisa sono quotidiane.
> Lui arrivava nella sua carrozza chiusa o aperta a seconda del tempo. Nel mentre zio Scarpetta fumava la sua sigaretta "col bocchino d'oro", sua nipote, mia madre, si era già preoccupata di portargli una tazza di caffè e lui la sorseggiava con gusto. I loro discorsi si rivolgevano ai fatti della vita di tutti i giorni: spese giornaliere, avvenimenti teatrali, pettegolezzi di vicini. Quando era per lui l'ora di andarsene, mia madre lo accompagnava alla porta e lo salutava con un bacio, poi correva subito ad affacciarsi al balcone della stanza da pranzo e vi rimaneva fino a quando la carrozza girava l'angolo della strada; in quel momento si salutavano ancora con un cenno di mano.[68]

Le complicate circostanze di casa Scarpetta-De Filippo hanno indubbiamente influenzato la concezione che Eduardo aveva dell'uomo e della donna. Il personaggio femminile nel teatro eduardiano è quasi sempre dominato da donne forti e coraggiose mentre l'uomo è spesso ottuso e prepotente, pensiamo a Domenico Soriano in *Filumena Marturano*. Egli rappresenta il personaggio negativo nel modo più assoluto. L'uomo di mezza età che si rifiuta di invecchiare e di conseguenza si allaccia ad una giovane donna. Solamente l'estrema determinazione di Filumena lo induce a guardare al di là del proprio egoismo. Non vi è forse un po' dello Scarpetta in questo personaggio?

Così come in Vincenzo, il quale crede che la felicità sia un possesso e che possa essere raggiunta con le disponibilità finanziarie.

Dell'universo femminile nel teatro eduardiano si è parlato di "femminismo anticipato". D'altra parte però il personaggio femminile sembra voler avvicinarsi a quello di Pirandello.

Margherita vive in un piccolo paese di provincia dove l'evoluzione dei costumi è estranea all'ottusa e mediocre mentalità degli uomini. Non a caso, *L'Esclusa* di Pirandello è ambientato in un piccolo paese del sud della Sicilia. Marta Ajala, protagonista della vicenda è chiusa in una società ossessionata dall'antico moralismo, una società su cui pesa l'incubo della facciata esterna, cioè dell'"apparire" che prevale sull'"essere": addirittura si è ciò che si appare! Pirandello si fa spettatore degli abitanti di questo paese con i loro pettegolezzi e l'incongruenza del loro agire.

In *Chi è cchiù felice 'e me!* per la prima volta Eduardo si allontana da Napoli spostandosi verso un piccolo paese di provincia. La città infatti appare come la causa dei mali. Giorgio e Consiglia, vicini e amici di Vincenzo e Margherita, ritornando da Napoli dopo aver pranzato a casa dei "signori" dove Consiglia era stata "nutrice", si fermano da Vincenzo e esprimono il loro spavento a contatto con la folla, il loro scandalo davanti alla moda, insomma il loro disagio di fronte all'emancipazione di questa città:

> Margherita mia, me sento 'a capa stunata, pe' Napule non se po' cammena' [...] E po', Margherita mia che scandalo... tu vide cammena' femmene annure ch' 'e veste azzeccate 'ncuollo che se vede tutte cose. Cose 'e pazze.[69]

Nel secondo atto la casa non è più ordinata come prima, tutti i lavori di casa sono stati trascurati da Margherita, il cui cambiamento è descritto così dal marito:

> Io t'assicuro che nun 'a cunosco cchiù. Non le può dicere 'na parole che zompa 'nfaccia, nun le pozz' fa' 'na cerimonia che se tocca 'e nierve... Stammatina per esempio ce azzeccava tutta

chella ammuina pe' 'nu buttone? E po', tiene mente, pure 'a casa nun 'a tene cchiù comme 'na vota... Primma faceva 'nu sacco 'e pranzette sapurite... mo' invece 'o mangia' fa schifo... ragù pigliato sotto... maccarune sfatte... brodo 'nzipeto...[70]

Vincenzo non riconosce più Margherita perché la casa è disordinata, perché non cucina più come una volta e, come dice lui stesso "Non le può dicere 'na parole che zompa 'nfaccia". È diventata suscettibile. Margherita è cambiata perché lotta contro i suoi nuovi sentimenti. Riccardo, con il suo fascino, ha saputo destare in lei la femminilità, ciò che non ha saputo fare Vincenzo perché per lui contano solo i "doveri":

> Se capisce po' che io 'o marito vuosto nun 'o pozzo vede', Donna Margheri', so' stato a Napule 'sti duie iuorne e agio sufferto 'e ppene 'e l'inferno, tutt' 'e femmene che 'ncuntravo mmiez' 'a via me facevano currivo, divevo: E comme, vuie site cchiù belle 'e donna Margarita? E vuie v'avit' a diverti', v'avit' a vestere elegante, e donna Margherita ha dda sta' chiusa dint' 'a 'nu paese infelice [...][71]

Infatti Riccardo le dice che odia suo marito perché la tiene prigioniera in un paese infelice, quando dovrebbe invece portarla a passeggio per le strade di Napoli, ed esibire la sua bellezza. Margherita gli risponde che c'è stata per tutta la vita in quel paese e che ci stà con piacere perchè si è sposata e deve rimanerci: "Tutt' 'a vita mia, e ce stongo cu' piacere, ccà me so' maretata e ccà aggi' 'a sta."[72]

Dietro all'irreprensibilità di Margherita si nasconde la ribellione contro il rapporto che Vincenzo le ha imposto e che ha bisogno solo di un'occasione per manifestarsi. Si coglie vagamente da questi impulsi la contraddizione fra un contegno esterno ed un sentimento nascosto, come se Eduardo volesse entrare nella zona dell'*Umorismo* per scoprire l'inconscio, che ci spinge a comportamenti che sfuggono al controllo della volontà o dalla ragione. In realtà Margherita è un personaggio molto più semplice di quanto sembri. Riccardo da Napoli le porta il rossetto alla moda e un pacchetto che contiene un paio di calze di seta. Eduardo descrive così la scena: *"Riccardo dipinge le labbra a Margherita e poi di sorpresa la bacia lungamente e fortemente. Margherita dà un fortissimo schiaffo e si ritrae."*[73]

La donna si fa dipingere le labbra, si fa baciare lungamente e fortemente, poi compie il classico gesto dello schiaffo. Nella scena successiva, dopo che Riccardo è andato via, apre il pacchetto, tira fuori le calze e le misura, poi sente il passo di Vincenzo e nasconde le gambe sotto il tavolo. Margherita è innamorata. In Pirandello non è mai così semplice. Marta si concede all'Alvignani più per dispetto che per amore. È condannata innocente da suo marito, dal padre e dall'opinione pubblica. Quando si rende conto di essere del tutto emarginata accetta l'aiuto dell'Alvignani che la sistema a Palermo come insegnante in un collegio e alla fine cede alla sua corte, ma per motivi non chiari che nulla hanno a che vedere con l'amore.

In Eduardo manca tutta questa tensione psicologica, infatti, "l'umorismo" di Eduardo è, come osserva giustamente Franca Angelini, "solo un mezzo per nobilitare il comico, nella scrittura, e una suprema sapienza dell'attore nel passare dal riso al pianto senza interruzioni."[74]

La commedia si chiude con un clamoroso gesto di Margherita. Secondo Vincenzo, la moglie non può cambiare e proprio nel momento in cui sta per dimostrare a tutti i suoi amici l'innocenza della moglie, Margherita crolla fra le braccia di Riccardo, l'uomo che ama:

> È n'ommo che nun s''o fa fa' a vuie, e si io le dico chello che vuie m'avite ditto, chillo v'accide… e tene 'o core d''o ffa'… Io voglio bene 'a isso. Iatevenne. (*Stringe fra le braccia Riccardo*) *Costernazione di tutti.*[75]

L'imprevedibilità del personaggio in questo ultimo gesto ci ricorda *Ciascuno a suo modo* (1924) di Pirandello. Infatti Pirandello risolve la vicenda nel più imprevedibile dei modi. Dopo il secondo intermezzo, la Morello invade il palcoscenico e schiaffeggia la prima attrice. Gli altri attori la cacciano via creando in sala una grande confusione. Il barone Nuti è lì sulla scena. La Morello gli grida di andarsene, che è un assassino, che lo odia, ma se ne andranno insieme:

DELIA No! No! Vattene! Vattene! Lasciami!
ROCCA No! Qua con me! Con la mia disperazione! Qua!
DELIA Lasciami, ti dico! Lasciami! Assassino!
ROCCA Tu mi volesti, com'io ti volli, fin da quando ci vedremmo la prima volta!
DELIA Sì, sì! Per punirti.
ROCCA Anch'io, per punirti! Ma anche la tua vita, per sempre, s'è affogata in quel sangue!
DELIA Sì, anche la mia! Anche la mia!
(*E accorrerà a lui come una fiamma, scostando quelli che la trattengono*)
ROCCA (*riabbracciandola subito, freneticamente*) E dunque bisogna ora che vi stiamo tuffati tutti e due insieme, aggrappati così! Non io solo, non tu sola, tutti e due insieme, così così [...] Vieni, vieni via con me...
FRANCESCO Ma sono due pazzi![76]

La commedia di Pirandello si avvale di due intermezzi in cui l'autore spiega:

La presenza in teatro, tra gli spettatori della commedia, della Morello e del Nuti stabilirà allora per forza un primo piano di realtà, più vicino alla vita, lasciando in mezzo gli spettatori alieni, che discutono e s'appassionano soltanto di una finzione d'arte. Si assisterà poi nel secondo intermezzo corale al conflitto tra questi tre piani di realtà, allorché da un piano all'altro i personaggi veri del dramma assalteranno quelli finti della commedia e gli spettatori che cercheranno di interporsi. E la rappresentazione non potrà più, allora, aver luogo.[77]

Pirandello stabilisce tre piani di realtà. In Eduardo la realtà è una, quella di tutti i giorni. Margherita si abbandona al flusso degli eventi. Di Pirandello vi è il rifiuto degli schemi convenzionali stabiliti dalla società. Un matrimonio non si può reggere sulle convenzioni. Margherita si sente legata al marito solo perché è sposata: "Io te voglio bene pecché me si marito e t' agg' 'a rispetta'."[78] Margherita infatti rompe con la "routine" che col tempo è diventata monotonia. Ne *L'Esclusa* il matrimonio di Marta si presenta come un evento che interrompe bruscamente l'evoluzione della donna, che le viene imposto dalla famiglia:

> Fin dal primo giorno della promessa di matrimonio, allor che a lei, ragazza di sedici anni appena, tolta dal collegio, agli studii seguiti con tanto fervore, Rocco Pentagora era stato presentato come promesso sposo. Era un sentimento di vaga oppressione ricacciato dentro e soffocato dalle savie riflessioni dei genitori, che nel Pentagora avevano veduto un partito conveniente, un buon giovane, ricco... Sì, sì; e lei aveva ripetuto come sue queste savie considerazioni della madre e del padre alle compagne di collegio dalle quali aveva voluto prendere commiato; come se da bambina tutt'a un tratto fosse divenuta vecchia, provata e sperimentata nel mondo.[79]

Margherita, come Marta, si ribella alla sua condizione ma sembra piuttosto rassegnata. Marta, invece, è lasciata nell'ossessione della sua coscienza lacerata.

Il richiamo a Pirandello, emerso da questi due capitoli, troverà una continua evoluzione negli anni successivi. Le due commedie che chiudono il primo periodo dell'attività di Eduardo, *Non ti pago* (1940) e *Io l'erede* (1942) sono state riconosciute di tipo pirandelliano per la ricorrenza di paradossi e constrasti. *Non ti pago,* secondo Giovanni Antonucci, "[...] segna il ritorno a una drammaturgia pienamente inserita nella vita napoletana, e in cui la lezione pirandelliana risulta ormai completamente assimilata entro l'estro creativo dell'autore [...]"[80]

I due rapporti fondamentali nella prima drammaturgia eduardiana, come abbiamo visto, sono stati Eduardo Scarpetta che rappresenta il passato e Pirandello che indica la via del presente-futuro. Di Pirandello mancherà però tutta l'indagine psicologica. L'accostamento al maestro siciliano, tuttavia, permetterà a Eduardo di raggiungere un altro livello artistico, e soprattutto molto superiore a quello dello Scarpetta. *Natale in casa Cupiello* del '31 è la conferma della sua maturazione artistica, per la perfetta fusione di elementi grotteschi, crepuscolari e drammatici.

Parte Seconda

PIRANDELLO AL CULMINE DELLA CARRIERA DI EDUARDO
IRONY

CAPITOLO III

Questi fantasmi! (1946)

Nel 1945 Eduardo raggiunge il vertice della sua arte. Abbandonato ormai il continente scarpettiano, *Napoli milionaria*, (prima rappresentazione al Teatro San Carlo, Napoli, 25 marzo 1945), apre il grande ciclo del vero e proprio "Teatro di Eduardo". Segue ad un anno di distanza *Questi fantasmi!* Ambedue portano i segni di un talento ormai maturo e di alto livello poetico e scenico.

Per analizzare il secondo momento del rapporto Eduardo-Pirandello, il mio studio si avvale della teoria di Bloom poiché Eduardo entra in un rapporto conflittuale con il suo "secondo" padre e lo ironizza attraverso una "riscrittura" che Bloom chiama "un atto di correzione poetica":

Poetic influence when it involves two strong, authentic poets, always proceeds by a misreading of the prior poet, an act of creative correction that is actually and necessarily a misinterpretation. The history of fruitful poetic influence, which is to say the main tradition of Western poetry since the Renaissance, is a history of anxiety and self-saving caricature, of distortion, of perverse, wilful revisionism without which modern poetry as such could not exist.[81]

Questi fantasmi! è stata considerata una delle opere più belle di tutto il teatro eduardiano. A mio parere è stato attraverso la "riscrittura" che Eduardo ha potuto raggiungere questo livello artistico. Credo inoltre che oggi, Emilio Barbetti, avendo presente la teoria di Bloom, non avrebbe detto che Eduardo "[...] In *Questi fantasmi!* intende caricare l'ambiente spesso buffonescamente scarpettiano di significati presuntuosamente trascendenti [...]"[82]; avrebbe capito che sono proprio le "contorsioni" che fanno grande l'opera.

Pasquale Lojacono viene ad abitare in un appartamento di ben diciotto stanze, in un palazzo seicentesco. L'appartamento gli viene ceduto in affitto, ma gratuitamente, affinché Lojacono, abitandovi, convinca tutti che in quel palazzo, che gode fama di essere infestato dai fantasmi, non vi è nulla di male e che pertanto è abitabilissimo. In realtà nel palazzo s'aggira un uomo in carne ed ossa che si atteggia a fantasma: è l'amante della moglie di Lojacono. Pasquale crede di poter migliorare i suoi rapporti con la moglie – che sono piuttosto freddi – rendendole più agiata la vita. Il suo piano è di aprire una pensione nell'immenso appartamento ora a sua disposizione. L'amante della moglie (il fantasma), che conosce le sue intenzioni, gli fornisce i soldi necessari mettendoglieli nella tasca della giacca appesa a un gancio. Si respira dappertutto un clima di magia, per cui non si capisce mai se i personaggi davvero credono a questi fantasmi, oppure se fanno finta, tanto per stare al gioco, e approfittare delle occasioni senza perdere la faccia. Ad ogni buon conto comincia la trasformazione dell'appartamento. Ma un bel giorno fanno la loro comparsa delle "anime in pena", e cioè la moglie e i figli del fantasma amante, e se lo portano via. Pasquale si trova nei guai perché non può più fare fronte ai creditori. Spera sempre che il fantasma ritorni, anzi, si nasconde sul balcone durante le ore della notte per agevolare il suo rientro. Finalmente il tanto invocato fantasma riappare, ma per fuggire con la moglie di Pasquale. Quest'ultimo, con un accorato discorso sul suo grande amore per la moglie, riesce a convincerlo a non portare a termine il suo piano. Il fantasma alla fine acconsente e gli lascia pure i soldi.

Il finale è tipicamente eduardiano per la capacità del personaggio chiave a convertire anime indurite con una lunga perorazione finale. Come impianto, è la commedia più originale di Eduardo, per la fusione di motivi vari e contraddittori, e per la capacità di far stare in bilico realtà e illusione. Su questo nesso dell'illusionismo Eduardo ritornerà ne *La grande magia*.

Il pregio di quest'opera sta proprio nel doppio gioco, nel passaggio continuo tra realtà e mondo surreale. Da un lato ciò riflette la radicata fede del popolo napoletano nel "miracolo", dall'altro si assiste alla crisi dell'equilibrio del naturalismo enunciato tematicamente e nella scrittura testuale ad apertura di copione, come vediamo dall'elenco dei personaggi:

Pasquale Lojacono (anima in pena)
(anima in pena)
Maria, sua moglie (anima perduta)
(anima perduta)
Alfredo Marigliano (anima irrequieta)
(anima irrequieta)
Armidia, sua moglie (anima triste)
(anima triste)
Raffaele, portiere (anima nera)
(anima nera)
Carmela, sua moglie anima dannata)
(anima dannata)
Gastone Califano (anima libera)
(anima libera)
Saverio Califano (anima inutile)
(anima inutile)
Il prof. Santana (anima inutile, ma non compare mai)
(anima inutile, ma non compare mai)

Dal cast appena citato, ci si aspetterebbe un ambiente e uno svolgimento da avanguardia, da teatro dell'assurdo (mi riferisco in particolare a Samuel Beckett e Eugene Ionesco, quasi contemporanei e massimi rappresentanti del teatro dell'assurdo). Invece, dietro a questa facciata c'è la vita di ogni giorno, con le sue miserie, i suoi raggiri, le sue finzioni. Il protagonista della grottesca vicenda, Pasquale Lojacono, è l'incarnazione della *napoletanità* in continua ricerca di una svolta che gli permetta di vivere un po' meglio. La verità però è che la commedia indica varie possibilità fra le quali lo spettatore deve compiere una scelta interpretativa. Per raggiungere il suo scopo, Pasquale agisce in buona o mala fede? Fiorenza Di Franco dice che si tratta del "dramma dell'uomo che lotta con qualsiasi mezzo per riconquistare la donna amata."[83] Raffaele La Capria invece si chiede se "Pasquale Lojacono è davvero l'anima in pena, stralunata e innocente di un napoletano dei nostri giorni che non sa come fare a campare, o se, insieme, la figura ambigua e insondabile di un uomo del Novecento che ha smarrito ogni senso della realtà?"[84]

In realtà, c'è una terza possibilità: Pasquale non potrebbe anche essere una caricatura del Ciampa di Pirandello? Claudio Meldolesi paragona così la trama delle due opere: "Passiamo al confronto delle due pièces, a partire dalle trame. Esse risultano così apparentate da poter essere riassunte insieme con la stessa frase: i coniugi cornuti di una coppia illegale vivono giorni d'inferno, cercando il modo migliore per uscire dalla loro penosa situazione."[85]

Sia Pasquale che Ciampa sanno la verità. Non mi sembra, come si è detto, che Pasquale sia un personaggio ambiguo, anzi dal modo in cui si rivolge al fantasma dà la conferma di sapere la verità ma finge di ingnorarla per farsi mantenere dall'amante della moglie:

> Tu sei un'anima buona e me può capi'...Non ho mai potuto regalare a mia moglie un bracciale, un anello, nemmeno nel giorno della sua festa. [...] Il lavoro onesto è doloroso e misero... e non sempre si trova. [...] E senza danaro, si diventa timidi, paurosi... senza danaro si diventa carogna![86]

Bloom dice che più il poeta è grande, più profonda è l'ironia: "the stronger the man, the larger his resentment, and the more brazen his clinamen."[87] Considerando ciò vediamo che tipo di trasformazione subisce il Ciampa:

> **Pirandello** Entra dall'uscio in fondo Ciampa: sui quarantacinque anni;[88]
> **Eduardo** Pasquale entra dall'ingresso. È un uomo sui quarantacinque anni.[89]

Pirandello Capelli folti, lunghi, volti all'indietro scompostamente; senza baffi; due larghe basette tagliate a spazzola gl'invadono le guance fin sotto gli occhi pazzeschi, che gli lampeggiano duri, acuti, mobilissimi dietro i grossi occhiali a staffa.

Eduardo I foltissimi capelli sfioccano nei punti più incredibili del suo cranio. Di colorito pallidissimo. Ha lo sguardo irrequieto dell'uomo scontento.

Pirandello Porta all'orecchio destro una penna.

Eduardo Porta con sé, e la stringe fra l'avambraccio destro e il petto, una gallina. Da un dito della stessa mano, mediante un giunco, pende un melone imprigionato nel giunco stesso, che forma anello alla sua sommità. Sotto l'altro braccio, un fascio di diversi bastoni e due ombrelli.

Pirandello Veste una vecchia finanziera.

Eduardo Veste senza ricercatezza ma lindo.

Pasquale e Ciampa hanno tutti e due quarantacinque anni, i volti segnati i capelli foltissimi e scomposti. Il Ciampa viene trasfigurato con la "gallina" in mano. È un caso? Non credo. Eduardo svuota il dramma dalla sua "tragicità" e lo riporta ad un livello quotidiano, "spicciolo". *Il berretto a sonagli* fa parte della prima fase del teatro pirandelliano, quella ancora legata alla scuola verghiana. Tuttavia, il verismo fa solo da sfondo al realismo dell'ambiente siciliano, mentre il personaggio è già l'individuo insediato da un conflitto interiore. Personaggio sofferente nella sua intimità, costretto a portare la "maschera", il Ciampa rappresenta l'umorismo pirandelliano per eccellenza. Dice Pirandello nel saggio sull'*Umorismo*: "Ciascuno si racconcia la maschera come può – la maschera esteriore. Perché dentro c'è l'altra, che spesso non s'accorda con quella di fuori."[90]

Il Ciampa tace finché costretto a parlare. Egli è costretto ad agire secondo le convenzioni imposte dalla società in cui vive, e quando diventa pubblicamente un marito "tradito" minaccia di uccidere affinché il suo onore rimanga soddisfatto. Davanti alla gente del paese il Ciampa deve salvare la faccia:

Se lei avesse parlato seriamente con me! Io me ne sarei tornato a casa e avrei detto a mia moglie: Pst! Fagotto, e via! Oggi
mi sarei presentato al signor cavaliere: Signor cavaliere, bacio
le mani: non posso star più con lei: ho altri affari [...][91]

Salvare la faccia? È perché? A Pasquale non importa nulla
di tutto questo. Nel discorso che segue egli mette in gioco
onore e dignità. È indifferente a ciò che può "dire la gente",
anzi è indifferente a ciò che pensa di lui persino la moglie.
Pasquale è guidato dal suo istinto di sopravvivenza. Non vuole rischiare di perdere il benessere che deriva dal "fantasma",
per le chiacchiere della gente, o per gli scrupoli della moglie.
Dice che con la pancia vuota l'amore finisce, e che secondo
lui Giulietta e Romeo dovevano essere ricchissimi:

Cu 'a panza vacante, Mari', 'e sente se perdeno... Giulietta e
Romeo dovevano essere ricchissimi, se no dopo tre giorni se
pigliaveno a capille... Nun da' retta 'e chiacchiere... Al contrario, arriva un poco di benessere: donna Maria si ribella! Ma
famm' 'o piacere! E guarda, t'avverto: non ci torniamo più sopra e non facciamo storie per l'avvenire, perché non è finito. Io
voglio campa' buono. Voglio mangia', bévere, voglio vestire bene.
'E ssigarette nun 'e voglio cunta'. 'A dumméneca voglio 'o dol-
ce... [...].[92]

Maria, irritata, gli rimprovera il suo comportamento da
"magnaccia":

MARIA Ma allora, tu mangi e zitto?...[93]
PASQUALE [...] La gente?... Lasciala parlare. Diranno che io
sono un farabutto, maligneranno, magari, sul tuo conto... e va
bene... a poco a poco non ci penseranno più e buonanotte [...]
Io voglio campa' buono. Voglio mangia', bévere. Voglio vestire
bene. 'E ssigarette nun 'e voglio cunta'. [...] E io non posso perdere questa comodità.
MARIA (nauseata, quasi piange) Che uomo! Che vergogna![94]

Questa frase "tu sei felice, io sono contento: tiriamo avanti
e chi vo' a Dio, ca s' 'o prega" porta a pensare alla famosa

canzone napoletana "Chi ha avuto, ha avuto, ha avuto! Chi ha dato, ha dato, ha dato!", la quale racchiude in sé la filosofia spicciola, il modo di pensare e di vivere del popolo napoletano. Alberto Consiglio nell'introduzione all'*Antologia dei poeti napoletani* parla di "spirito di superamento" del popolo napoletano:

> Napoli è stata la città più duramente colpita dalla guerra e nella lirica avrebbe dovuto nascere un grido d'odio, anarchico. Invece no. *Chi ha avuto, ha avuto, ha avuto! Chi ha dato, ha dato, ha dato! Scurdammoce 'o passato!* Un grido di pacificazione e di superamento che desterà qualche eco, presto vanificati, nella classe dirigente, solo dopo qualche anno. Superamento? Il poeta conclude: *Simmo 'e Napule! Paisa'!* E gli sembra di aver detto tutto. "Spirito di superamento" che è la caratteristica fondamentale della personalità napoletana. Badate! Dal fondo di una delle più complesse e antiche condizioni di miseria e di depressione sociale, sorge non la degradante rassegnazione, ma lo "spirito di superamento"[95]

Eduardo sembra trasformare il "pupo", marionetta popolare siciliana che rappresenta, attraverso i discorsi del Ciampa, la "filosofia pirandelliana" in una sorta di "clown", un "pulcinella", maschera napoletana della Commedia dell'Arte, conosciuto soprattutto per la sua abilità di uomo pronto a qualsiasi compromesso per vivere o sopravvivere. Pasquale non mi sembra quindi "l'uomo del Novecento che ha smarrito ogni senso della realtà" perché semmai questo è "l'uomo senza qualità" di Pirandello, inetto e alienato. Pasquale non è in conflitto con la società e tanto meno con sé stesso. La sua preoccupazione è una: la sopravvivenza, e in questo è completamente l'opposto dell'uomo pirandelliano.

Anche i *Sei personaggi in cerca d'autore* faranno la loro comparsa nell'opera di Eduardo e saranno ridicolizzati. La famiglia di Alfredo (l'amante-fanstasma) viene introdotta come un gruppo di sonnambuli. Il critico Carlo Filosa dice giustamente che Eduardo richiama con il "tragico corteo" il gruppo dei sei personaggi "fino a strumentalizzarne ironicamente i modi ai suoi fini caricaturali."[96] Va notato che anche questa famiglia è composta di sei persone: la moglie, due figli, il fratello della moglie, i genitori della moglie. Confrontiamo:

> **Pirandello** (LA MADRE) sarà come atterrita e schiacciata da un peso intollerabile di vergogna e d'avvilimento. Velata da un viso non patito, ma come di cera, e terrà sempre gli occhi bassi.[97]
> **Eduardo** (LA MADRE) Contemporaneamente, seguita da due ragazzi, maschio e femmina, di dodici e di quattordici anni, e da due vecchi, entra dalla scala del terrazzo una donna sui quarant'anni. Il suo passo è lento inesorabile, deciso. Veste un sobrio completo di colore scuro. Porta un cappellino calzato male. Appena poggiato sulla testa per via di una ferita che ha nel bel mezzo della fronte, medicata da un quadratino di garza e una croce, di sparatrappo. Il suo pallore terreo, i suoi occhi arrosati dal sonno, il suo incedere da sonnambula formano un insieme di tristezza rassegnata e di amor proprio offeso.[98]

"Porta un cappellino calzato male. Appena poggiato sulla testa per via di una ferita che ha nel bel mezzo della fronte, medicata da un quadratino di garza e una croce, di sparatrappo." Non è forse anche un riferimento a Beatrice del *Berretto*? Ciampa l'aveva avvertita del pericolo di ferirsi la fronte quando si cade senza mettere le mani avanti: "Signora, le rammento il caso di mio padre che tirava indietro le mani..."[99]

> **Pirandello** (LA RAGAZZA) una vivace tenerezza, [...] bambina di circa quattro anni, vestita di bianco con una fascia di seta nera alla vita.
> **Eduardo** (LA RAGAZZA) veste di bianco, pure le calze, pure le scarpe sono bianche porta un fiocco verde all'estremità della treccia stremenzita. Tutta aggiustata come un "morticino siciliano". Pallida e magra come un chiodo. Triste per natura, assente per debolezza.

Quando muore una ragazza, soprattutto nell'Italia del sud, la si veste di bianco. Ma perché proprio "un morticino siciliano"? Questo sembra confermare la leggenda creata e diffusa fra i teatranti che Eduardo era persona "ispida, non facile, persino dispettosa."[100]

> **Pirandello** (IL RAGAZZO) la figliastra mostrerà dispetto per l'aria timida e quasi smarrita del fratellino, squallido giovinetto di quattordici anni, vestito anch'esso di nero.
> **Eduardo** (IL RAGAZZO) Il maschio, invece, è tarchiato e panciuto. Troppo basso per i suoi dodici anni. Pantaloncino corto e giacca di colore incerto. Ha un tic nervoso: di tanto in tanto spalanca gli occhi e muove la testa allungando il mento come per raggiungere, con esso, l'omero della spalla destra, ripigliando poi fulminamente il suo aspetto normale.

Anche l'insistenza sul "tic nervoso" del ragazzo, è un'annotazione tipicamente pirandelliana.

> **Pirandello** (LA FIGLIASTRA) di diciotto anni, sarà spavalda, quasi impudente. Bellissima, vestirà a lutto anche lei, ma con vistosa eleganza.
> **Pirandello** (IL FIGLIO) di diciotto anni, alto quasi irrigidito in un contenuto sdegno per il padre e in un'accigliata indifferenza per la madre, porterà un soprabito viola e una lunga fascia girata attorno al collo.
> **Eduardo** I due vecchi, una donna e un uomo, vestono di nero e un po' all'antica. Il tragico corteo che si è fermato in fondo con le spalle alla porta di ingresso, inesorabilmente attende. Il ragazzo non può contenere il suo tic.

La scena poi prosegue con equivoci linguistici che mantengono in piedi il gioco dei fantasmi, ironizzando la tematica pirandelliana dell'incomunicabilità. Il concetto dell'impossibilità della comunicazione, dell'incomprensione reciproca, in Pirandello assurge a grande motivo esistenziale e metafisico, appare come evidente nelle parole amare del padre in *Sei personaggi*:

> IL PADRE Ma se è tutto qui il male! Nelle parole! Abbiamo tutti dentro un mondo di cose, ciascuno un suo mondo di cose!

E come possiamo intenderci, signore, se nelle parole ch'io dico metto il senso e mentre chi le ascolta, inevitabilmente le assume col senso e col valore che hanno per sé, del mondo com'egli l'ha dentro? Crediamo d'intenderci; non c'intendiamo mai![101]

L'incomunicabilità in Pirandello tiene conto dell'esistenza dell'inconscio che l'essere umano è già in sé stesso diviso, "doppio", e che non solo non comunica con gli altri, ma non comunica neache con se stesso. Eduardo fa di questo concetto lo strumento che mantiene in piedi il "gioco" dei fantasmi. Alla fine del secondo atto la moglie di Alfredo, insieme ai nonni, si presenta in casa di Pasquale. Pasquale li scambia per altri fantasmi. La moglie dell'amante, Armida, esclama: "Io sono morta un anno e mezzo fa". Naturalmente quello che la donna qui intende dire è che l'aver perduto suo marito per causa di questa insana passione, le ha causato un dolore tanto grande da farla sentire come morta. Nel gioco di parole la frase viene presa alla lettera e Pasquale sta al gioco:

ARMIDA Io sono morta un anno e mezzo fa.
PASQUALE Ah è recente.
ARMIDA Queste due figure di adolescenti... *(Li mostra)* Pulisciti il naso, tu... *(Col fazzoletto pulisce il naso alla femmina)* E tu... *(al maschio che in quel momento è in preda al tic)* smettila, controllati... Lo fai apposta... *(A Pasquale)* È uno spirito di contraddizione... Queste due figure di adolescenti, vi dicevo, sono due morticini. Io fui uccisa mentre amavo, nell'istante in cui le vibrazioni del mio cuore, del mio animo, dei miei sensi... capitemi, toccavano l'acme della completa capitemi, completa felicità...
PASQUALE Proprio in quel momento?... Che peccato![102]

E non poteva mancare una caricatura dello stesso Pirandello. Come sappiamo, in *Ciascuno a suo modo* e *Questa sera si recita a soggetto* Pirandello appare come uno spettatore "che ha pagato il biglietto."[103] La didascalia che segue non potrebbe essere Pirandello, spettatore dei suoi drammi, che ha appunto pagato il biglietto?:

Pasquale incantato gira da una parte all'altra della scena osservando or l'uno ora l'altra. Il tutto, gli dà l'impressione di uno spettacolo fantastico. Per vedere meglio sale sulle sedie, sui tavoli: assiste come uno spettatore che ha pagato il biglietto.[104]

A proposito di questa commedia, Giovanni Antonucci ha scritto:

[...] segna il ritorno a quel pirandellismo insistito e un po' meccanico che aveva viziato alcune commedie composte fra le due guerre, ma si tratta di un elemento che nonstante il ruolo assunto nel testo, riesce ad essere assorbito in gran parte nel disegno generale, come se Eduardo, in un momento di particolare grazia, potesse controllarlo: ciò che non gli riuscirà qualche tempo dopo in *Le bugie con le gambe lunghe* (1947) e ne *La grande magia* (1948).[105]

Effettivamente *Questi fantasmi!* è una delle più riuscite commedie di Eduardo per l'equilibrio di fantasia e abilità tecnica. Tuttavia, come ha osservato Giovanni Antonucci non gli riuscirà con *La grande magia* del '48.

CAPITOLO IV

La grande magia (1948)

Il primo atto de *La grande magia* si svolge nel giardino del grande albergo Metropole e costituisce la premessa fattuale della commedia. Otto Marvuglia prestigiatore, illusionista e mago, per il suo esperimento chiede la collaborazione di una signora. Secondo un accordo preso si presenta Marta, moglie del gelosissimo Calogero Di Spelta. Otto, pagato da Mariano, uno spasimante di Marta la rinchiude nel suo sarcofago egiziano e la fa sparire, permettendole così di incontrarsi col suo amante. I due però non si accontentano del fugace incontro. Marta esce dal sarcofago per una porticina segreta, scende una scaletta che porta ad un motoscafo e scappa con Mariano. Quando il marito comincia a reclamare la riapparizione della moglie, per rimediare all'imbroglio, Otto improvvisa un altro gioco. Consegna a Calogero una scatola dicendogli che in essa vi è rinchiusa sua moglie, ma potrà aprire la scatola e riavere così Marta solo quando avrà completa fiducia in lei. Calogero, che non ha fiducia in lei, non la apre. L'imbroglio dura quattro anni. Un giorno la moglie, pentita, dichiara di voler tornare. Otto allora organizza una messa in scena per far riapparire la moglie, ma Calogero la rifiuta: sceglie di vivere per sempre nella sua illusione.

La grande magia è senza dubbio la commedia eduardiana in cui più evidente appare l'influenza di Pirandello, ma è anche una delle meno riuscite. Come ci racconta Bentley, alla fine della rappresentazione, tutti gridarono "Pirandello". Questa reazione del pubblico mi sembra giustificata poiché troppe cose ricordano lo scrittore siciliano. Corrado Alvaro dice:

Eduardo De Filippo, credendo di trovarsi ancora di qua da un personaggio ambientato nella vita di tutti, tentò di rompere quello che riteneva un suo limite, si accostò al pirandellismo, la forma meno adatta a lui, e in cui già lo stesso Pirandello finì col muoversi a disagio. Fu una di quelle avventure che gli artisti corrono facilmente credendo di superarsi.[106]

Evidentemente gli elogi conquistati con *Questi fantasmi!* non sono riusciti a soddisfarlo del tutto. Qualcosa in lui non si rassegna. Pirandello sembra ossessionarlo più che mai. In questa commedia Eduardo ironizza la "filosofia pirandelliana" ma spinge l'ironia fino all'esasperazione. Finisce col focalizzare uno dei testi capitali di Pirandello, *Enrico IV*. Il protagonista di questo dramma è il personaggio più ricco di tragiche motivazioni intellettuali del teatro pirandelliano e uno dei più complessi della drammaturgia contemporanea.

Circa le somiglianze fra *La grande magia* e *Enrico IV*, Eric Bentley fa notare che "come il maestro siciliano, Eduardo sostiene che l'uomo ha bisogno di illusioni, perché la vita è troppo terribile da sopportare":

Vi sono somiglianze ancora più particolari con l'*Enrico IV*. All'inizio di tutte e due le commedie un uomo si ritira dall'amara realtà della rivalità sessuale in una deliberata irrealtà nella quale si suppone che il tempo non passi, benché il suo trascorrere sia indicato dai capelli grigi dei personaggi.[107]

Vedremo però che, al di là di questi dettagli, Eduardo sembra rifiutare il messaggio pirandelliano e Calogero Di Spelta sembra essere una caricatura di Enrico.

La commedia di Eduardo ha due protagonisti principali: Calogero Di Spelta, il marito tradito e Otto Marvuglia, camuffatore travestito da illusionista. Questo personaggio è molto diverso dal prestigiatore di *Sik-Sik, l'artefice magico* di circa vent'anni prima perché egli è anche e soprattutto il "filosofo" della commedia. Otto ipnotizza la folla con lunghi e banali discorsi, sostenedo di "vedere" al di là della percezione comune grazie ad un "terzo occhio", ciò fa sospettare che con

Otto Eduardo voglia rappresentare in chiave farsesca i grandi "ragionatori" pirandelliani, Baldovino, Leone Gala, Laudisi, Memma Speranza, Enrico IV ecc. Anche i discorsi di Calogero sembrano voler fare il processo alla filosofia di Pirandello che forse Eduardo vede come un po' pretenziosa, infatti Calogero conferma: "Mettetevi bene questo in mente: io sono un uomo felice perché non mi faccio illusioni mai. Per me il pane è pane, il vino è vino, e l'acqua di mare è amara e salata."[108]

Prima di passare alla verifica testuale ritengo utile ricordare, anche se brevemente, la "filosofia" di Pirandello, poiché costituisce il filo conduttore di questa commedia. Come sappiamo Pirandello è fra i massimi esploratori della crisi dell'uomo moderno. Egli e Nietzsche, secondo Michael Rossner "segnano un momento nella storia del pensiero occidentale, in cui filosofia e letteratura s'incontrano su un campo comune."[109] L'idea centrale del pensiero di Pirandello e del filosofo tedesco, è l'abolizione del concetto della verità oggettiva. Diversa però è la conclusione:

Sebbene i due si trovino d'accordo nella constatazione del fatto che l'uomo è condannato ad essere un attore la valutazione di Pirandello è diversa: se Nietzsche, partendo dalla constatazione che non esiste né l'Io né la verità oggettiva, arriva alla conclusione che nessun ruolo può essere autentico e che bisogna dunque scegliere quella parte che ci dà il massimo di potere, Pirandello presenta il ruolo come maschera imposta all'uomo che, sebbene non abbia nessuna identità autentica, per lo meno ha il desiderio di libertà, del cambiare, e viene irrimedialmente fissato in questa maschera impostagli dal "mondo esterno" cioè dalla società che lo circonda.[110]

Scrive Pirandello nel saggio l'*Umorismo*:

Vive nell'anima nostra l'anima della razza o della collettività di cui siamo parte; e la pressione dell'altrui modo di giudicare, dell'altrui modo di sentire e di operare, è risentita da noi inconsciamente: e come dominano nel mondo sociale la simulazione e la dissimulazione, tanto meno avvertite quanto più sono divenute abituali, così simuliamo e dissimuliamo con noi medesimi, sdoppiandoci e spesso anche moltiplicandoci.[111]

Pirandello descrive un'umanità dolente e disperata, con i suoi mascheramenti di ipocrisia, costretta all'incomprensione e all'impossibilità di sfuggire alle convenzioni sociali. Tutta la problematica del suo teatro, il frantumarsi della personalità umana, la si trova nel pensiero dei suoi personaggi "ragionatori". Nelle parole del padre di *Sei personaggi in cerca d'autore* troviamo l'idea della molteplicità dell'essere:

> Il dramma per me è tutto qui, signori: nella coscienza che ho, che ciascuno di noi – veda – si crede "uno" ma non è vero: è "tanti", signori, "tanti", secondo tutte le possibilità d'essere che sono in noi: "uno" con questo, "uno" con quello – diversissimi![112]

Ne *Il piacere dell'onestà* i discorsi di Baldovino mettono in evidenza la falsità delle relazioni umane:

> Inevitabilmente, noi ci costruiamo. Mi spiego. Io entro qua, e divento subito, di fronte a lei, quello che devo essere, quello che posso essere – mi costruisco – cioè, mi presento in una forma adatta alla relazione che debbo contrarre con lei. E lo stesso fa di sé anche lei che mi riceve. Ma in fondo, dentro queste costruzioni nostre messe così di fronte, dietro le gelosie e le imposte, restano poi ben nascosti i pensieri nostri più segreti, i nostri più intimi sentimenti, tutto ciò che siamo per noi stessi, fuori delle relazioni che vogliamo stabilire. Mi sono spiegato?[113]

Dal *Berretto a sonagli* emerge, come abbiamo visto, la denuncia della meschinità degli uomini e della società borghese che si nasconde dietro le apparenze del "perbenismo". Con la così detta "logica dei pazzi" il Ciampa dice:

> Le par cosa da nulla? Fare il pazzo! Potessi farlo io, come piacerebbe a me! Sferrare, signora, qua per davvero tutta la corda

pazza cacciarmi fino agli orecchi il berretto a sonagli della pazzia e scendere in piazza a sputare in faccia alla gente la verità.[114]

Otto Marvuglia, come abbiamo detto è un personaggio sdoppiato. Da un lato si difende come può dalla fame travestito da illusionista, dall'altro è anche il "filosofo" della commedia. Nel primo atto, Otto parla con il cameriere dell'albergo esaltando i colori e la grandiosità del mare su cui si affaccia il grande albergo Metropole. Allo stesso tempo si sforza di suggestionare il povero cameriere che lo guarda incantato:

(fissando con commiserazione il cameriere)
Secondo te, il mare è grandioso. Povera creatura, povero imbecille. Una volta, pur'io credevo la stessa cosa, e mi tuffai tranquillo in un mare aperto come questo; ma non riuscii a trovare un posticino, per muovermi agevolmente. L'umanità intera vi si era tuffata prima di me; mille mani mi respinsero violentemente, facendomi schizzare al punto di partenza. (*Mostrando la platea*) È una goccia di acqua, caro mio. Ha di prodigioso solamente il fatto che non riesce a prosciugarsi, o per lo meno il processo è lento e sfuggevole all'occhio umano. Una goccia d'acqua al centro del buio, un buio senza confine, un buio che esiste anche nelle ore in cui crediamo che il sole lo distrugga... [...][115]

Eduardo non vuole forse ironizzare qui il concetto pirandelliano che il mondo non ha di per sé una realtà se non gliela diamo noi? Poi Otto continua: "(*Ora si rivolge un po' a tutti con tono di voce ciarlatanesco*) In pieno sole vedo il buio, signori. Il sole passa, sì; ma passa suo malgrado, da condannato, e quando passa non intende distruggere il buio."[116] "In pieno sole vedo il buio". Questa frase sembra una parodia di paradossi pirandelliani e in contrasto con l'idea della possibilità di vedere chiaro nell'intimo. Non ci fa pensare all'*Umorismo*? Ne *L'Umorismo*, Pirandello accosta follia e lucidità, e descrive il passaggio da momenti di estrema lucidità alla soglia della follia:

In certi momenti di silenzio interiore, in cui l'anima nostra si spoglia di tutte le finzioni abituali, e gli occhi nostri diventano più acuti e più penetranti, noi vediamo noi stessi nella vita, e in se stessa la vita, quasi in una nudità arida, inquietante; ci sentiamo assaltare da una strana impressione, come se, in un baleno, ci si chiarisse una realtà diversa da quella che normalmente percepiamo, una realtà vivente oltre la vista umana, fuori delle forme dell'umana ragione. Lucidissimamente allora la compagine dell'esistenza quotidiana, quasi sospesa nel vuoto di quel nostro silenzio interiore, ci appare priva di senso, priva di scopo; e quella realtà diversa ci appare orrida nella sua crudezza impassibile e misteriosa, poiché tutte le nostre fittizie relazioni consuete di sentimenti e d'immagini si sono scisse e disgregate in essa.[117]

Un altro eco pirandelliano si avverte quando Otto si vanta del suo "terzo occhio" acquistato dopo i cinquant'anni, "l'occhio del pensiero". Allo stesso tempo afferma di aver perso per sempre gli altri due:

Il buio potremmo distruggerlo noi con il terzo occhio, se riuscissimo a possederlo tutti. Con il terzo occhio: l'occhio senza finestra, l'occhio del pensiero, il solo che io possegga; ormai gli altri due, quelli visibili, quelli che durante gli anni della mia giovinezza vedevano tutto grande, enorme, sorprendente, li ho perduti per sempre. Essi si spensero definitivamente dopo i cinquant'anni...[118]

Il "terzo occhio" di Otto non fa pensare al discorso del Ciampa?

La corda civile, signora. Deve sapere che abbiamo tutti come tre corde d'orologio in testa. La seria, la civile, la pazza. Soprattutto, dovendo vivere in società, ci serve la civile; per cui sta qua, in mezzo alla fronte. Ci mangeremmo tutti, signora mia, l'un l'altro, come tanti cani arrabbiati [...] Ma può venire il momento che le acque s'intorbidano. E allora... allora io cerco, prima, di girare qua la corda seria, per chiarire, rimettere le cose a posto [...] che se poi non mi riesce in nessun modo, sferro, signora, la corda pazza, perdo la vista degli occhi e non so più quello che faccio![119]

La storia di Ciampa è una storia di "corde" e di "pupi." Per vivere, la società ci fornisce una maschera e tre corde, la seria, la civile, e la pazza: la prima da usare per ragionare, la seconda per la facciata della convivenza civile, la terza quando le prime due non servono a nulla. Il "terzo occhio" di Otto è "l'occhio del pensiero" quindi l'occhio della saggezza. La "terza" corda di Ciampa è quella della pazzia. Eduardo sembra voler alludere ancora una volta al tema pirandelliano follia-saggezza.

Nel secondo atto Calogero non sta al gioco e si rivolge alla polizia, ma il brigadiere, informato della fuga volontaria di Marta, non può far nulla per aiutare Calogero:

CALOGERO Ho portato qui un brigadiere.
BRIGADIERE Quattro giorni fa, nel giardino dell'albergo Metropole, con una strategia da delinquente consumato, hai fatto sparire sua moglie… (*indica Calogero*)
OTTO Già spiegai al signor Di Spelta che si è trattato di un semplice giuoco di prestidigitazione. E che, per giunta, fu lui a iniziarlo chissà quando. Il fatto poi che io l'abbia messo di fronte all'illusione, fermando per un attimo in forma concreta le immagini mnemoniche della sua coscienza atavica, non comporta responsabilità da parte mia.[120]

Cosa significa "fermando per un attimo in forma concreta le immagini mnemoniche della sua coscienza atavica"? Niente. Tutte queste affermazioni comportano solo parole mistiche-filosofiche. Vogliono forse alludere in chiave farsesca alle concezioni metafisiche pirandelliane? Vogliono forse ironizzare lo schema dell'opposizione vita/forma? Sembra proprio così.

Nel primo atto i clienti dell'albergo, seduti nel giardino, prima dello spettacolo, pettegolano sulla coppia Di Spelta, e soprattutto sulla gelosia di Calogero nei confronti della moglie. A vederli insieme rassomigliano lei a "una condannata a morte, e lui a un funerale 'e terza classe":

> SIGNORA MARINO Ma allora, scusate, come si giustifica il fatto che quella poveretta è priva di fare due passi sola, che la chiude in camera quando esce, che non la lascia respirare un momento?
> SIGNORA LOCASCIO Perché ci sono certi uomini che si sentono diminuiti se devono confessare che amano la moglie: che prima di dire che sono gelosi si farebbero uccidere. E allora si credono che disprezzando ottengono qualche cosa. E io sono felice quando questi tipi finiscono confratelli di San Martino.[121]

Quando Marta si ritrova con l'amante nel motoscafo, il motivo della gelosia ritorna:

> MARIANO (*un po' in collera*) Finalmente.
> MARTA Calogero non mi lascia un momento. La sua gelosia è arrivata al massimo, mi opprime. Se deve andare in bagno, mi chiude in camera e si mette la chiave in tasca.[122]

"Mi chiude in camera e si mette la chiave in tasca": difficile non pensare al Ciampa, come vediamo: "Nossignora. Marcio con un principio: Moglie, sardine ed acciughe: queste, sott'olio e sotto salamoja; la moglie, sotto chiave. Eccola qua! (Cava dalla tasca una chiave e la mostra)."[123]

Nel frattempo Otto fa vedere al pubblico il sarcofago vuoto. Cerca di distrarre gli spettatori e di calmare Calogero che reclama la riapparizione della moglie. Alle sue insistenze cerca di fargli capire che non è stato il sarcofago a far sparire la moglie e conclude: "Voi avete fatto sparire vostra moglie e voi dovete farla riapparire… Io che c'entro?"[124] Poi gli porge una scatola giapponese affermando: "Vostra moglie è in questa scatola."[125] La donna passa dalla camera chiusa al sarcofago, alla scatola giapponese: c'e una progressiva riduzione di spazio che finisce col focalizzare la scatola giapponese, dentro cui ci dovrebbe essere Marta, come per produrre una specie di *mise-en-abyme*. Oltre ad aver dato un ottimo esempio della sua grande abilità di messinscena, non potrebbe aver voluto mettere la donna nella scatola, come per prendere alla lettera le parole del Ciampa: "moglie, sardine ed acciughe". Infine, la *mise-en-abyme* potrebbe anche essere una caricatura della formula "teatro nel teatro".

Passano quattro anni in cui Calogero si consuma nello struggente desiderio di trovare sua moglie, ma allo stesso tempo si nasconde dietro il gioco del prestigiatore, evitando di scontrarsi con la vergognosa realtà di "marito tradito". Mi sembra molto diverso dal dramma dell'*Enrico IV*. *Enrico IV* rappresenta la tragedia della passione d'amore, inserita nel tema pirandelliano della scomposizione della persona umana. Belcredi, l'amico-rivale di Enrico, punge il cavallo provocando la sua caduta e Matilde Spina, la donna amata da Enrico, diventa amante di Belcredi. Una volta rinsavito Enrico continua a recitare quella parte. Per dare significato alla sua illusione interna egli considera gli altri semplici strumenti:

> Non capisci? Non vedi come li paro, come li concio, come me li faccio comparire davanti, buffoni spaventati! E si spaventano solo di questo, oh: che stracci loro addosso la maschera buffa e li scopra travestiti; come se non li avessi costretti io stesso a mascherarsi, per questo mio gusto qua, di fare il pazzo![126]

Il personaggio pirandelliano non è mai un autentico pazzo. "Sono guarito" dice Enrico "perché so perfettamente di fare il pazzo, qua; e lo faccio, quieto! Il guaio è per voi che la vivete agitatamente, senza saperla e senza vederla, la vostra pazzia."[127] Enrico considera la sua finzione più autentica della "realtà" degli altri. La pazzia di Calogero rimane invece un elemento del comico. Nel terzo atto, disperato, chiede ad Otto di mettere fine al giuoco: "Smettila! Non vedi che soffro? Non vedi che non posso sopportare oltre questo giuoco diabolico? Aiutami. Abbi pietà di me. Fai terminare il giuoco."[128] Otto allora gli propone un altro gioco: di abbandonarsi al suo istinto "in tutto e per tutto, bestiale che sia. Quello che pensa il tuo cervello, anche disordinatamente, dillo, fallo."[129] E così egli fa:

CALOGERO (*dopo un momento di riflessione*) Vedi, certe volte penso il motivo di una canzonetta, di un'opera, e mi vien voglia di fischiettarla o di cantarla. Ma sai, nei momenti più tragici della mia vita. Una volta, seguendo il funerale di un mio carissimo amico, mi veniva voglia di cantare "Funiculì, funiculà...!" Ma non lo feci, perché mi vergognavo di me stesso.
OTTO: Male. Perché te ne vergogni? Se ti piace cantarla, cantala. Il cervello è indipendente.
CALOGERO (*convinto*) Sì, questo è vero. Adesso, per esempio, ho un appetito da sbadigliare, e mi vien voglia di cantare. (*Accenna l'aria della "Tosca"*) E lucean le stelle... parapapà...papà! (*A Gennarino*) Dammi gli spaghetti![130]

In quel momento tragico del funerale Calogero aveva voglia di cantare una canzone, ma non una canzone qualsiasi. "Funiculì Funiculà" è una delle più allegre canzoni del repertorio napoletano. Eduardo sembra accostare al sublime il ridicolo, come del resto nel caso della Tosca e degli spaghetti.

Anche il tema della vita non vissuta accomuna le due opere, ma in Pirandello assume una dimensione tragica, oltre al fatto che il dramma di Enrico si svolge fuori del tempo e anche nella dimensione di un altro tempo: l'individuo si crede Enrico IV di Germania, veste i panni di quel personaggio e lo rappresenta con assoluta aderenza. Con rammarico della vita che gli è sfuggita senza averla vissuta, si rivolge a Belcredi:

Enrico IV E guardami qua i capelli! (*gli mostra i capelli sulla nuca*)
BELCREDI Ma li ho grigi anch'io!
Enrico IV Sì, con questa differenza: che li ho fatti grigi qua, io, da Enrico IV, capisci? E non me n'ero mica accorto! Me n'accorsi in un giorno solo, tutt'a un tratto, riaprendo gli occhi, e fu uno spavento, perché capii subito che non solo i capelli, ma doveva esser diventato grigio tutto così, e tutto crollato, tutto finito: e che sarei arrivato con una fame da lupo a un banchetto già bell'e sparecchiato.[131]

La dimensione tragica di Enrico, che apprende ormai vecchio di aver pagato con gli anni preziosi della sua giovinezza il tradimento di Belcredi, diventa una dimensione beffarda nel personaggio di Calogero. Al personaggio lucido, lucidissimo di Pirandello Eduardo oppone un personaggio colto dai dubbi. Seduto sulla poltrona accanto a un tavolo Calogero osserva la sua immagine agli specchietti incastrati sulla scatola giapponese:

OTTO Buon giorno. Non vuoi rispondermi?
CALOGERO No, non rispondo. Perché dovrei dire delle parole inutili, delle frasi convenzionali? Tu ti prendi giuoco di me, ed io ti odio. Vedi, ti sorrido e ti odio. E resisto. Ho deciso di resistere, caro. Tu mi hai reso in parte compartecipe del tuo esperimento; ma non vuoi svelarmene il mistero. E resisto. Non mangio più, non bevo, non vado al gabinetto... e sì che ne avrei voglia... (*Con un moto di sofferenza si contorce sulla poltrona*) Il tempo non passa... e il giuoco dura un attimo. Perché allora mi viene appetito? Perché mi vien sete? Perché... (*Si contorce come prima. D'un tratto, esaltandosi, diventa aggressivo*) Smettila! Non vedi che soffro? Non vedi che non posso sopportare oltre questo giuoco diabolico? (*Quasi piangendo*) Aiutami. Abbi pietà di me. Fai terminare il giuoco. Guarda... sono invecchiato, sono diventato grigio. Ho l'impressione che siano passati degli anni, e tu mi dici che non è vero. Ti uccido, sai... (*Ripigliando il tono gentile*) [132]

Quest'ultima battuta di Calogero sembra inoltre alludere all'omicidio di Belcredi, omicidio con cui Enrico si chiude per sempre nella sua "follia". Le parole "ora sì... per forza..." di Enrico racchiudono tutto il significato del dramma. Enrico si chiude nella sua follia "non tanto per sottrarsi alla giustizia ma per farla finita una volta per sempre con il volervivere, con il tempo."[133] In Eduardo questo conflitto interiore di Enrico viene associato al giuoco: "Fai terminare il giuoco" dice Calogero. Poi si alza di colpo, corre verso l'armadio e comincia a guardare con ammirazione nostalgica gli abiti di Marta. Sembra quasi pentito e sembra riconoscere i propri torti verso la moglie e sta per aprire la scatola quando entra Marta la quale, pentita, confessa il proprio tradimento. In questo, fa pensare a Marta dell'*Esclusa* di Pirandello che anche lei dice al marito di essere stata con un altro (Alvignani).

MARTA (*Commossa, quasi piangendo*) Tutto è successo per puntiglio, per incomprensione, per un senso di libertà. Nella mia vita c'è stato un altro uomo. E tu lo devi sapere, se vogliamo salvarci da questa illusione pazza.[134]

Ma Calogero, sentita la confessione della moglie, la rifiuta.

CALOGERO ...Non conosco questa donna. Forse fa parte di un esperimento che non mi riguarda. Diglielo che il suo mondo è legato a tanti altri, e che deve prestarsi, non può sottrarsi. Portala via questa immagine mnemonica di "moglie che torna". Due esperimenti in uno non li sopporterei.[135]

Calogero caccia via l'illusionista e la propria moglie perché non può sopportare il rapporto che propone Marta, un rapporto senza illusioni basato sull'onestà, difficile a lui. Come in *Questi fantasmi!*, rimane poco delineata la figura della moglie infedele, mentre più caratterizzata è la figura dell'uomo ottuso e egoista, con in più la dimensione comico-farsesca. Sembra che Eduardo abbia anche voluto mettere in rilievo il suo disprezzo per questo tipo di uomo.

L'atteggiamento completamente negativo da parte del pubblico e della critica nei confronti de *La grande magia* segna un momento di crisi per l'autore napoletano. "L'ostilità del pubblico" dice Claudio Meldolesi "si specchiò nella crescente disaffezione della critica. Fra il '47 e il '49 divenne una moda, il dubbio su Eduardo. Si parlò prima di moralismo, poi di letterarietà, poi di distacco dalla realtà."[136] Si è addirittura parlato di "ambizioni sbagliate"[137]. L'errore fu però salutare, come osserva il Frascani : "Eduardo non volle mai riconoscerlo, ma in pratica ne tenne conto, orientandosi in seguito verso temi a lui più congeniali e ritrovando presto il se stesso più autentico e sincero."[138] Infatti dopo il fallimento di quest'opera Eduardo cercò di allontanarsi dall'"intellettualismo" pirandelliano, tornando ad una commedia "umana" basata sui rapporti familiari ma soprattutto sull'equilibrio familiare dove i conflitti vengono affrontati e risolti, contrariamente a Pirandello che mette in evidenza il "disfacimento", il "disfunzionamento" della famiglia (si pensi ai *Sei personaggi in cerca d'autore,* vicenda familiare che coinvolge soprattutto il padre e la figliastra). Il ritorno di Eduardo al tema familiare sarà segnato da *Mia famiglia* (1955), *Bene mio e core mio* (1955), *De Pretore Vincenzo* (1957). Questo non significa però che egli torna ad essere quello di prima. Nel '56 in un numero speciale di *Sipario* (rivista teatrale), Eduardo afferma: "Le conclusioni che traggo io non sono affatto pirandelliane. Siamo solo vicini come mentalità: sofistici sono i napoletani e sofistici sono i siciliani."[139] Con questa dichiarazione forse Eduardo sperava che non si parlasse più di Pirandello.

Invece, allorché Eduardo crea nel '58 *Il figlio di Pulcinella,* Claudio Meldolesi osserva:

[...] l'attore-autore si tolse davvero, e definitivamente, la maschera antica che lo aveva salvato dalla crisi del '49 con cui aveva inaugurato il San Ferdinando e che, di tanto in tanto, era tornato a coprire il suo corpo d'attore riconsacrato al successo. Il ribelle figlio di Pulcinella era lui: Eduardo, insofferente ormai alla clandestinità, deciso a rompere con i condizionamenti del napoletanismo. [...][140]

Meldolesi insiste dicendo che scrivendo *Il figlio di Pulcinella* Eduardo ricade invece nella tentazione pirandelliana:

La struttura del *Figlio di Pulcinella* è, se non sbaglio, la stessa di *Questa sera si recita a soggetto.* I due Pulcinella e la lucertola Caterinella (altra maschera) occupano lo stesso spazio degli attori immaginati da Pirandello fuor di finzione; mentre la favola di *Questa sera* riaffiora, di tanto in tanto, nella favola politica di Eduardo: soprattutto nei casi della famiglia Vofà Vofà. Per non dire della firma, da ladro malizioso che l'attore-autore volle apporre all'operazione, chiamando Mimmina il personaggio corrispondente alla Mommina pirandelliana.[141]

Assieme a *Il figlio di Pulcinella*, anche l'opera *Dolore sotto chiave* viene identificata come un testo di matrice pirandelliana. Carlo Filosa afferma che la lezione narrativa e teatrale di Pirandello è particolarmente evidente nella reminiscenza de *Il piacere dell'onestà* e in *Dolore sotto chiave*. Come vedremo dalla seguente citazione "il paradosso regge ancora la situazione di base e ispira molte conseguenti argomentazioni del dialogo":

Pirandello
MADDALENA Viene! Ah viene insidiosamente! È una serata deliziosa di maggio. La mamma s'affaccia alla finestra. Fiori e stelle, fuori. Dentro l'angoscia, la tenerezza più accorata. E quella mamma grida dentro di sé: Ma siano anche per la mia figliuola, una volta almeno, tutte le stelle e tutti i fiori![142]

Eduardo
ROCCO ...Quello sguardo poco a poco finisce col perseguitarti, col seguirti ovunque, come un'ossessione, ti ironizza, ti sfotte. Poi diventa una sfida. Ti parla, ti fai attento e riesci a capire quello che ti dice: "Ci sono! Fra la vita e la morte. Ma ci sono! Non me ne vado, vivi la tua vita, se puoi!» Poi comincia a dirti... e la vedi con l'indice puntato in alto: "Ci sono i tramonti, ma ci sono io... c'è il mare, ma ci sono anch'io *(Esasperato)* Cieli stellati e lei, gli alberi e lei! Lei, lei, lei... sempre lei tra la vita e la morte."[143]

Ne *L'arte della commedia,* rappresentata per la prima volta l'8 gennaio 1965 al Teatro San Ferdinando di Napoli, Eduardo rivendica nuovamente il diritto di riappropriarsi della sua tematica, e dichiara al suo pubblico di non avere più niente a che vedere con Pirandello. Ma avrà davvero chiuso?

PARTE TERZA

THE RETURN OF THE DEAD

CAPITOLO V

L'arte della commedia (1964)

Il nuovo prefetto di un capoluogo di provincia, Sua Eccellenza De Caro, si è appena insediato al Palazzo della Prefettura per svolgere la sua attività. Il programma del rappresentante governativo per quel suo primo giorno nella nuova sede è di ricevere le personalità locali. Ma prima che questi arrivino si fa ricevere per forza il Campese, capocomico di una compagnia di guitti che ha perduto il capannone in un incendio. Chiede al prefetto di assistere ad una rappresentazione speciale per raccogliere fondi al fine di arrivare in un'altra piazza. Il prefetto, che ritiene la richiesta offensiva, caccia via in malo modo il capocomico. Ma invece del foglio di via che gli avrebbe permesso di partire dopo che il suo teatro tenda aveva preso fuoco, il prefetto gli consegna per errore la lista delle persone che gli hanno chiesto udienza. Così quando al prefetto si presentano le varie persone per illustrare i problemi sociali del luogo, il prefetto non sa se sono le personalità attese, oppure se sono gli attori della compagnia del Campese travestiti da personaggi.

Nella premessa di questa commedia Eduardo scrive:

Vorrei spiegare perché *L'arte della commedia* va in stampa senza prefazione. Vari critici hanno scritto brillantemente sull'argomento, cogliendo uno o più lati interessanti, e io li ringrazio della serietà e dell'amore con cui si sono dedicati al loro compito. Ma questa è una commedia strana, formalmente e sostanzialmente diversa dalle altre; desidero perciò che il lettore giudichi con la propria testa, si formi una sua idea del lavoro, e decida da solo se la commedia è valida o no, teatrale o non teatrale (alcuni hanno ritenuto "una noiosa conferenza sul teatro"), pericolosa (al punto da meritare una censura televisiva) o no. Vorrei farvi solo una raccomandazione: tenete presente che questa commedia non l'ho scritta solamente per la gente di teatro, come alcuni affermano, ma per tutti noi, giacché i problemi di cui tratta riguardano la nostra vita e quella dei nostri figli.

La commedia, come ci dice Eduardo, si divide in due parti: la prima esprime le idee di Eduardo sul teatro e sulla vita teatrale, la seconda è il teatro come riproduzione della vita: "Il teatro deve essere lo specchio della vita umana, riproduzione esatta del costume e immagine palpitante di verità; di una verità che abbia dentro pure qualcosa di profetico."[144] Tuttavia, con la dichiarazione "il teatro deve essere lo specchio della vita umana" Eduardo sembra voler rivendicare la sua posizione artistica e fare un ennesimo processo a Pirandello, questa volta al "surrealismo" dell'ultimo Pirandello. Alla fantasia e l'immaginazione pirandelliana Eduardo oppone la realtà quotidiana.

Pirandello muore la mattina del 10 dicembre 1936. *I giganti della montagna,* la sua ultima opera teatrale, è completa nei suoi primi 2 atti; il terzo sarà ricostruito dal figlio Stefano sulle indicazioni orali del padre. Quest'opera testimonia la rottura estrema dei confini del reale per andare oltre, nella favola, nel sogno, nel "mito". È il definitivo abbandono da parte di Pirandello d'ogni forma teatrale concepita come rappresentazione della realtà quotidiana.

Nella villa della "Scalogna" di una valle deserta vive il Mago Cotrone, capo di un gruppo di poveracci "Gli Scalognati". Giunge un giorno alla villa la Contessa Ilse, prima attrice di una compagnia di teatranti che vogliono rappresentare l'opera "La favola del figlio cambiato". Cotrone li accompagna dai "Giganti della montagna". I giganti rappresentano il mondo contemporaneo e vivono in enormi e fredde costruzioni nella città sulla montagna che sovrasta la "Scalogna". Stefano Pirandello, che ricostruisce il finale dell'opera, racconta che la rappresentazione della favola nel mondo dei "Giganti" fallisce. I servi (gli operai delle grandi costruzioni), che rappresentano la civiltà industriale e tecnocratica, uccidono Ilse perché incapaci di comprenderla. "Il conte grida sul corpo della moglie che gli uomini hanno distrutto la poesia nel mondo."[145]

Mi sembra che la commedia di Eduardo voglia essere una presa di posizione, una sfida a Pirandello. Mentre nell'ultimo Pirandello la funzione dell'arte è quella di dare coerenza ai sogni, per Eduardo la funzione dell'arte è di rappresentare la realtà quotidiana, quella di tutti i giorni. Ci troviamo di fronte a due poli opposti: surrealismo e realismo. Come abbiamo appreso dal saggio di Bloom, fare esattamente l'opposto è anche una forma d'imitazione. Se non sbaglio, Pirandello sembra essere ancora molto presente nell'opera di Eduardo.

Nel primo atto de *L'arte della commedia* siamo nel Palazzo della Prefettura. Campese il capocomico si è fatto ricevere per forza dal prefetto per esporgli il suo problema. La compagnia, dice Campese, è composta di otto persone: "Siamo quattro gatti, tutto il gruppo è formato di otto persone."[146] Pure la compagnia della contessa, ne *I giganti della montagna,* è composta di otto persone:

COTRONE Che cos'è?
MELORDINO Salgono in fretta! Son più di dieci!
QUAQUÈO No, sono otto, sono otto; li ho contati! Con la donna![147]

Nella commedia di Eduardo, il discorso fra il Campese e De Carlo scivola sulla crisi del teatro in Italia. Man mano però la discussione affronta argomenti più particolari: la funzione dell'attore nella società e la situazione dell'autore teatrale. Dice Campese: "[…] ma l'uomo che fa l'attore svolge una attività utile al suo paese o no?"[148] Secondo il Campese "il teatro deve essere lo specchio della vita umana, riproduzione esatta del costume e immagine palpitante di verità."[149]

Questa dichiarazione si oppone chiaramente all'ideologia dei *Giganti.* Dalle parole di Cotrone, il mago, traspare una tranquillità che deriva dalla scelta contraria, quella di vivere libero dagli schemi sociali. Il mondo dei sogni e dell'arte può vivere solo nel divorzio più radicale dalla società. "Stia tranquilla Contessa," dice Cotrone, "è la villa. Si mette tutta così ogni notte da sé in musica e in sogno. E i sogni, a nostra insaputa, vivono fuori di noi, per come ci riesce di farli, incoerenti. Ci vogliono i poeti per dar coerenza ai sogni."[150]

Interessante anche il significato della realtà in quest'ultimo Pirandello. I fantocci che si animano alla lettura della Favola mostrano che ciò che conta è la magia. "La difficoltà" dice Cotrone "non è dei personaggi principali. Ciò che importa soprattutto è la magia; creare voglio dire, l'attrazione della favola."[151] La Magia è ciò che permette alla realtà di essere rappresentata:

> COTRONE A noi basta immaginare, e subito le immagini si fanno vive da sé. Basta che una cosa sia in noi ben viva, e si rappresenta da sé, per virtù spontanea della sua stessa vita [...] Quei fantocci là, per esempio. Se lo spirito dei personaggi ch'essi rappresentano s'incorpora in loro, lei vedrà quei fantocci muoversi e parlare. E il miracolo vero non sarà mai la rappresentazione, creda sarà sempre la fantasia del poeta in cui quei personaggi son nati, vivi, così vivi che lei può vederli anche senza che ci si siano corporalmente.[152]

La fantasia ci fa credere alle cose e ce le fa vivere. Siamo noi stessi a creare la realtà, quella che è dentro di noi. Sono i sogni quindi che determinano la realtà. Come dirà Cromo "Fuori di noi! Stiamo sognando! Avete capito? Siamo noi stessi, ma in sogno, fuori del nostro corpo che dorme di là!"[153] Ne *L'arte della commedia* Eduardo attacca proprio questo mondo "surreale" in cui vivono gli ultimi personaggi pirandelliani dichiarando che l'utilità del teatro è nella traduzione della vita quotidiana.

Ciò si vede alla fine del primo tempo quando il prefetto, stanco dei discorsi del Campese, lo fa mettere alla porta e gli fa dare dal suo segretario il foglio di viaggio. Campese si accorge che per errore gli è stato dato l'elenco delle persone che hanno chiesto udienza al prefetto. Prima di andarsene minaccia di far venire nell'ufficio i suoi attori travestiti. Conclude dicendo che lo avrebbe fatto allo scopo di stabilire se il teatro svolge una funzione utile al proprio paese. De Caro risponde: "Li mandi pure questi 'Personaggi in cerca di autore', troveranno buona accoglienza..."[154]

CAMPESE No, Eccellenza. Pirandello non c'entra niente: noi non abbiamo trattato il problema dell' "essere e del parere". Se mi deciderò a mandare i miei attori qua sopra, lo farò allo scopo di stabilire se il teatro svolge una funzione utile al proprio paese o no. Non saranno personaggi in "cerca d'autore" ma attori in cerca di autorità. La saluto, Eccellenza, buona giornata e stia attento.[155]

"Li mandi pure questi 'Personaggi in cerca di autore'". Non poteva mancare un ultimo processo all'opera più significativa del teatro pirandelliano. Il padre in *Sei personaggi in cerca d'autore* riferisce il pensiero dell'autore che la realtà è solo illusione: "[...] Oltre la illusione, non abbiamo altra realtà."[156] Eduardo invece dirà: "noi non abbiamo trattato il problema dell'essere e del parere."

Anche l'idea di rendere verosimile la finzione mi sembra voler contrastare il concetto dei *Sei personaggi*. Il Campese dice "Noi altri sappiamo fingere alla perfezione..."[157] Il dramma di Pirandello invece viene portato sul palcoscenico dagli stessi personaggi. Attori e capocomico che dovrebbero riconcepirlo sono esclusi. Infatti i "personaggi" ritengono che gli attori non potranno mai rappresentarli: "Appunto, gli attori! E fanno bene, tutti e due, le nostre parti. Ma creda che a noi pare un'altra cosa, che vorrebbe essere la stessa e intanto non è, dice il padre."[158]

"Pirandello non c'entra" dice Eduardo al suo pubblico. Vuole dimostrare che lui è in grado di rappresentare la realtà e non ha più niente a che vedere con Pirandello. Sembra voler cercare un riconoscimento della propria arte. Bloom dice che il poeta (figlio) è particolarmente vulnerabile in quest'ultima fase del suo rapporto con il poeta (padre). Questa vulnerabilità, dice Bloom, è visibile in testi che si pongono come chiarificazioni, come testamenti finali da parte del poeta:

> The wholly mature strong poet is peculiarly vulnerable to this last phase of his revisionary relationship to the dead. This vulnerability is most evident in poems that quest for a final clarity, that seek to be definitive statements, testaments to what is uniquely the strong poet's gift (or what he wishes us to remember as his unique gift).[159]

Da una parte Eduardo vuole precisare che la sua commedia non sta trattando un tema pirandelliano: il pubblico vuole che gli si racconti "i fatti di casa sua,"[160] dirà il Campese. Eduardo vuole che venga riconosciuta la sua grandezza nel rappresentare la complessa commedia della vita. Rivendica l'arte scenica nemica a Pirandello. Il palcoscenico, per Eduardo, deve riprodurre esattamente la realtà quotidiana.

Tuttavia, nonostante la sua dichiarazione di non aver nulla a che vedere con Pirandello, tutto il secondo tempo si svolge in un clima tra finzione e realtà per cui sembra di ritrovarsi ancora in territorio pirandelliano. Tant'è vero che il prefetto si ritrova davanti al problema di dover distinguere la realtà dalla finzione, i "personaggi" dagli "attori". Sa che Campese ha la lista e quindi cerca di scoprire se i visitatori sono gli attori di Campese o no. Uno dei personaggi che fa parte dei visitatori è un farmacista che muore in scena. A questo punto arriva il capocomico per restituire l'elenco che gli era stato dato per sbaglio e il prefetto si chiede se il morto è un attore o no. Io mi chiedo: questo finale non è pirandelliano? Va notato prima di tutto che il morto sulla scena richiama la famosa scena del ragazzo dei *Sei personaggi* che muore sul palcoscenico. Mentre i personaggi cercano di ricreare al capocomico e agli attori la conclusione del loro dramma, esplode un colpo di pistola dietro l'albero dove si è nascosto il ragazzo. "[...] (*la madre con un grido straziante, accorrendo col figlio e con tutti gli attori in mezzo al subbuglio generale*) Figlio! Figlio mio!"[161] Il capocomico cerca di farsi largo mentre il ragazzo viene trasportato fuori scena, e chiede: "S'è ferito? S'è ferito davvero?"[162] Altri invece: "Povero ragazzo! È morto!" "Ma che morto! Finzione! Finzione! Non ci creda."[163] *Altri attori:* Finzione? Realtà, realtà! È morto!"[164] E infine il capocomico: "Finzione! Realtà! Andate al diavolo tutti quanti! Luce! Luce! Luce!"[165]

L'opera di Pirandello è costruita in modo da condurre il pubblico a un progressivo smarrimento che impedisce di comprendere con precisione lo svolgimento della vicenda, fino alla conclusione che comunque non permette di trarre alcun chiarimento. Invece nella commedia di Eduardo, quando il prefetto reclama dal capocomico la verità, e cioè se effettivamente l'uomo morto sia un attore, il Campese risponde così:

> Eccellenza, ma che gliene importa a lei, se si è trovato di fronte a un farmacista vero o a un farmacista falso? A mio avviso dovrebbe essere più preoccupante un morto falso che un morto vero. Quando in un dramma teatrale c'è uno che muore per finzione scenica, significa che un morto vero in qualche parte del mondo o c'è già o ci sarà. Sono le circostanze che contano: vanno considerate e approfondite le particolari condizioni di vita di una persona umana, che ci permettono di chiarire le ragioni di quell'atto. Ecco perché le ho detto stamattina: "Venga a teatro, Eccellenza, venga a mettere l'occhio al buco della serratura."[166]

Per Eduardo, conta la capacità del teatro di aiutare a chiarire la realtà, mentre per Pirandello questo è escluso assolutamente: semmai il teatro fa vedere che la chiarezza è un'illusione.

Qui termina il mio saggio. Il maestro siciliano, come abbiamo visto, è sempre presente nell'opera di Eduardo, e se oggi egli è una figura eminente nel teatro italiano del Novecento, lo è in parte perché, come dice Bloom, *"Poetic strength comes only from a triumphant wrestling with the greatest of the dead."*[167] Il poeta acquista la sua grandezza solamente attraverso una trionfante "lotta" con il più grande fra i morti: nel caso di Eduardo questo può aver significato chiarire la propria poetica nel confronto con l'altro.

CONCLUSIONE

Lo sforzo disperato che compie l'uomo
nel tentativo di dare alla vita un qualsiasi significato
è teatro
Eduardo De Filippo

Alcuni critici hanno ritenuto superficiale l'influenza di Pirandello su Eduardo. Alberto Consiglio dice: "Non credo che il pirandellismo defilippiano possa essere accettato come criterio di valutazione. È un criterio che porta, a mio avviso, a un giudizio estremamente superficiale. [...]"[168] Io ritengo invece estremamente importante e condivido l'opinione di Franca Angelini che "[...] non c'è dubbio che Pirandello gli ha insegnato un altro modo di scrivere."[169] E come Eduardo stesso confessa: "Tutti noi scrittori e anche tutti noi uomini dobbiamo molto al genio di Pirandello. Quando Arthur Miller dice che se non ci fosse stato lui, egli scriverebbe diversamente, dice cosa giusta [...]."[170]

Era anche normale che, diventato grande autore, Eduardo volesse misurarsi con la grandezza del secondo padre, con Pirandello che succede a Eduardo Scarpetta come padre teatrale. Ben presto però, il rapporto, che dapprima era di ammirazione, diventa conflittuale. Eduardo "lotta" fino alla fine con "il più grande fra i morti". Attraverso la caricature e l'ironia, raggiunge un alto livello artistico, superiore a quello dello Scarpetta. La caricatura che abbiamo visto del Ciampa, del pupo, dei ragionatori pirandelliani, insomma le "contorsioni" di cui parlava il Barbetti, non sono servite per snaturare la capacità creativa di Eduardo, ma per creare, semmai, un teatro nuovo a partire da un altro teatro. Ed è qui che conta Pirandello per Eduardo. Pirandello lo aiuta a definirsi, a trovare la sua "strada".

Ne *L'arte della commedia,* come abbiamo visto, Eduardo

lotta ancora fra il voler rifiutare la lezione pirandelliana e la tentazione dell'imitazione. Finisce per lasciare una dichiarazione finale, il che conferma che il maestro siciliano non cessa mai di ossessionarlo. Sostiene che il teatro è lo specchio della vita e della società, perché lui come nessun altro autore ha saputo rappresentare la vita di tutti i giorni. Eduardo riproduce le classi sociali con perfetta aderenza alla realtà, vissuta con estrema semplicità. Napoli diventa protagonista di una condizione universale. Il teatro di Eduardo è l'indignazione difronte all'ingiustizia, la ribellione all'ipocrisia e alla prepotenza, il conflitto tra l'individuo e la società, tra l'apparire e l'essere, e infine la speranza... di migliorare l'uomo e il mondo. E proprio lo sforzo continuo di tenere il passo con uno dei più grandi autori della letteratura italiana gli ha permesso di raggiungere una dimensione artistica di altissimo livello.

La frequentazione pirandelliana non "sviò" e "snaturò" il discorso creativo di Eduardo, come sostiene Emilio Barbetti, ma contribuisce alla creatività artistica del drammaturgo napoletano.

NOTE

[1] Emilio Barbetti, "L'influenza negativa di Pirandello", Giovanni Antonucci, *Eduardo De Filippo* (Firenze: Le Monnier, 1981) 172-174.

[2] Federico Frascani, *La Napoli amara di Eduardo De Filippo* (Firenze: Parenti, 1958) 29.

[3] Felicity Firth "Un'affermazione di vita", *Sotto la tenda, Eduardo nel mondo* (Roma: Bulzoni, 1978) 65.

[4] Bentley 37.

[5] Corrado Alvaro, "Cronache e scritti teatrali", *Eduardo De Filippo*, a cura di Giovanni Antonucci (Firenze: Le Monnier, 1981) 96-97.

[6] Alvaro 96-97.

[7] Alvaro 97.

[8] Harold Bloom, *The Anxiety Of Influence, A Theory of Poets* (New York: Oxford University Press, 1997) 11.

[9] Bloom, *Anxiety* 5.

[10] Bloom, *Anxiety* 56-57.

[11] Sigmund Freud, "Family Romance", *Collected Papers* V.5 (London: Hogarth Press 1952) 74.

[12] Bloom, *Anxiety* 7.

[13] Bloom, *Anxiety* 30.

[14] Bloom, *Anxiety* 139-140.

[15] Bloom, *Anxiety* 140.

[16] Franca Angelini, "Una famiglia difficile", *Il cattivo Eduardo*, a cura di Italo Moscato (Venezia: Marsilio, 1998) 51.

[17] Claudio Meldolesi, *Fra Totò e Gadda* (Bulzoni Editore, 1987) 67.

[18] Luigi Pirandello, *Maschere nude*, V.3 (Milano: Arnoldo Mondadori, 1952) 341.

[19] Eduardo De Filippo, *Cantata dei giorni dispari*, V.1 (Torino: Einaudi, 1959) 139.

[20] De Filippo, *Cantata dei giorni dispari*, V.3 437.

[21] Eduardo Scarpetta, attore-autore (Napoli 1853-1925) è un punto di riferimento fondamentale del teatro napoletano. Creatore del personaggio "Felice Sciosciammocca" rappresentò con spirito farsesco la critica della classe borghese.

[22] Sede principale della commedia popolare napoletana.

[23] Nicola Chiaromonte, *Scritti sul teatro* (Torino: Einaudi, 1976) 189-190.

[24] Raffaele La Capria, "Il cuore a Napoli, la testa in Europa", *Il Risveglio della Ragione, Quarant'anni di narrativa a Napoli 1953-1993*, a cura di Giuseppe Tortora (Avigliano Editore, 1994) 86-87.

[25] Italo Moscato, *Il cattivo Eduardo, un artista troppo amato e troppo odiato* (Venezia: Marsilio, 1998) 13.

[26] Giovanni Antonucci, *Eduardo De Filippo* (Firenze: Le Monnier, 1981) 30.

[27] Fiorenza Di Franco, *Eduardo De Filippo* (Roma: Gremese, 1978) 74.

[28] Federico Frascani, *Eduardo* (Napoli: Guida, 1974) 23-27.

[29] Antonucci 31.

[30] Angelini 54.

[31] Romano Luperini, *Pirandello* (Roma-Bari: Laterza 1999) 174.

[32] La Capria 85.

[33] Frascani 153.

[34] Frascani 153.

[35] Enzo Lauretta, "Il Drammaturgo", *Luigi Pirandello, storia di un personaggio "fuori chiave"* (Milano: Mursia, 1980) 294.

[36] Lauretta 293.

[37] Pirandello, *Machere nude*, V.1 204.

[38] De Filippo, *Cantata dei giorni dispari*, V.4 184.

[39] Bloom, *Anxiety* 6-7.

[40] Bloom, *Anxiety* 7.

[41] Harold Bloom, *A Map Of Misreading* (New York: Oxford University Press, 1975) 10.

[42] Isabella Quarantotti De Filippo, *Eduardo* (Milano: Bompiani, 1985) 172-173.

[43] Bloom, *Anxiety* 31.

[44] Antonucci 44.

[45] Lauretta 317-318.

[46] De Filippo, *Cantata dei giorni pari*, V.4 31-32.

[47] De Filippo, *Cantata dei giorni pari*, V.4 74.

[48] De Filippo, *Cantata dei giorni pari*, V.4 49.

[49] De Filippo, *Cantata dei giorni pari*, V.4 59-60.

[50] De Filippo, *Cantata dei giorni pari*, V.4 72.

[51] Pirandello, *Maschere nude*, V.3 378-379.

[52] Pirandello, *Maschere nude*, V.3 347.

[53] Pirandello, *Maschere nude*, V.3 347.

[54] Pirandello, *Maschere nude*, V.3 347.

[55] Pirandello, *Maschere nude*, V.3 377.

[56] De Filippo, *Cantata dei giorni pari*, V.4 72.

[57] De Filippo, *Cantata dei giorni pari*, V.4 72.

[58] De Filippo, *Cantata dei giorni pari*, V.4 84.

[59] Pirandello, *Maschere nude*, V.3 382.

[60] Pirandello, *Maschere nude,* V.3 382.

[61] Carlo Filosa, *Eduardo De Filippo, poeta comico del "Tragico Quotidiano"* (Napoli: La nuova cultura, 1978) 68.

[62] De Filippo, *Cantata dei giorni pari,* V.4 158-159.

[63] De Filippo, *Cantata dei giorni pari*, V.4 159.

[64] De Filippo, *Cantata dei giorni pari*, V.4 153.

[65] De Filippo, *Cantata dei giorni pari*, V.4 165.

[66] Maria Letizia Compatangelo, "Scene Madri Del Secolo Breve", *Il cattivo Eduardo, un artista troppo amato e troppo odiato*, a cura di Italo Moscati (Venezia: Marsilio, 1998) 110.

[67] Laura Coen-Pizer, *Il mondo della famiglia ed il teatro degli affetti* (Roma: Beniamino Carucci, 1972) 38.

[68] Peppino De Filippo, *Una famiglia difficile* (Napoli: Marotta, 1977) 141.

[69] De Filippo, *Cantata dei giorni pari,* V.4 160.

[70] De Filippo, *Cantata dei giorni pari,* V.4 169.

[71] De Filippo, *Cantata dei giorni pari*, V.4 178.

[72] De Filippo, *Cantata dei giorni pari*, V.4 178.

[73] De Filippo, *Cantata dei giorni pari*, V.4 179.

[74] Franca Angelini, "Eduardo negli anni 30: abiti vecchi e nuovi", *L'arte della commedia*, a cura di Antonella Ottai e Paola Quarenghi (Roma: Bulzoni, 1990) 18.

[75] De Filippo, *Cantata dei giorni pari*, V.4 187.

[76] Pirandello, *Maschere nude*, V.1 185.

[77] Pirandello, *Maschere nude*, V.1 149.

[78] De Filippo, *Cantata dei giorni pari*, V.4 180.

[79] Luigi Pirandello, *L'Esculsa* (Milano: Arnoldo Mondadori, 1992) 34.

[80] Antonucci 69.

[81] Bloom, *Anxiety* 30.

[82] Barbetti 172-174.

[83] Fiorenza Di Franco, *Le commedie di Eduardo* (Bari: Laterza, 1984) 137.

[84] Raffaele La Capria, *Il cattivo Eduardo*, a cura di Italo Moscati (Venezia: Marsilio, 1998) 120.

[85] Claudio Meldolesi, *Fra Totò e Gadda* (Bulzoni Editore, 1987) 67.

[86] De Filippo, *Cantata dei giorni dispari*, V.1 197.

[87] Bloom, *Anxiety* 31.

[88] Pirandello, *Maschere nude* V.3 341.

[89] De Filippo, *Cantata dei giorni dispari*, V.1 139.

[90] Luigi Pirandello, *L'Umorismo (*Milano: Mondadori, 1992) 156.

[91] Pirandello, *Maschere nude*, V.3 376.

[92] De Filippo, *Cantata dei giorni dispari*, V.1 171.

[93] De Filippo, *Cantata dei giorni dispari*, V.1 169.

[94] De Filippo, *Cantata dei giorni dispari*, V.1 170-171.

[95] Alberto Consiglio, *Antologia dei poeti napoletani* (Arnoldo Mondadori, 1973) 39-40

[96] Filosa 174.

[97] Pirandello, *Maschere nude*, V.1 36.

[98] De Filippo, *Cantata dei giorni dispari*, V.1 179.

[99] Pirandello, *Maschere nude* V.3 351.

[100] Moscato 79.

[101] Pirandello, *Maschere nude*, V.1 48.

[102] De Filippo, *Cantata dei giorni dispari*, V.1 180.

[103] De Filippo, *Cantata dei giorni dispari*, V.1 184.

[104] De Filippo, *Cantata dei giorni dispari*, V.1 184.

[105] Antonucci 81.

[106] Alvaro 177.

[107] Bentley 37

[108] De Filippo, *Cantata dei giorni dispari*, V.1 376.

[109] Michael Rossner "Nietzsche e Pirandello", *L'enigma Pirandello*, atti del Congresso Internazionale Ottawa, 24-26 ottobre, 86, a cura di A. Alessio, C. Persi Haines. L.G. Sbrocchi (The Canadian Society for Italian Studies, 1988) 223.

[110] Rossner 223.

[111] Pirandello, *L'Umorismo* 150.

[112] Pirandello, *Machere nude*, V.1 55.

[113] Pirandello, *Maschere nude*, V.1 408.

[114] Pirandello, *Maschere nude,* V.3 381.

[115] De Filippo, *Cantata dei giorni dispari*, V.1 384.

[116] De Filippo, *Cantata dei giorni dispari*, V.1 384.

[117] Pirandello, *L'Umorismo* 154-155.

[118] De Filippo, *Cantata dei giorni dispari*, V.1 384.

[119] Pirandello, *Maschere nude*, V.3 344.

[120] De Filippo, *Cantata dei giorni dispari*, V.1 411-412.

[121] De Filippo, *Cantata dei giorni dispari*, V.1 375.

[122] De Filippo, *Cantata dei giorni dispari*, V.1 396.

[123] Pirandello, *Maschere nude*, V.3 342.

[124] De Filippo, *Cantata dei giorni dispari*, V.1 401.

[125] De Filippo, *Cantata dei giorni dispari*, V.1 401.

[126] Pirandello, *Maschere nude*, V.2 538.

[127] Pirandello, *Maschere nude*, V.2 538.

[128] De Filippo, *Cantata dei giorni dispari*, V.1 434.

[129] De Filippo, *Cantata dei giorni dispari,* V.1 435.

[130] De Filippo, *Cantata dei giorni dispari*, V.1 435.

[131] Pirandello, *Maschere nude*, V.2 553.

[132] De Filippo, *Cantata dei giorni dispari*, V.1 434.

[133] Alberto Alonge, *Studi Pirandelliani* (Bologna: Pitagora, 1986) 31.

[134] De Filippo, *Cantata dei giorni dispari*, V.1 48.

[135] De Filippo, *Cantata dei giorni dispari,* V.1 449.

[136] Claudio Meldolesi, *Fra Totò e Gadda* (Roma: Bulzoni, 1987) 74.

[137] Frascani 75.

[138] Frascani 75.

[139] Vito Pandolfi, *Intervista a quatt'occhi con Eduardo De Filippo* in "Sipario", 1956.

[140] Meldolesi 82.

[141] Meldolesi 83.

[142] Pirandello, *Maschere* V.1 397.

[143] De Filippo, *Cantata dei giorni dispari*, V.3 119.

[144] De Filippo, *Cantata dei giorni dispari*, V.3 432.

[145] Pirandello, *Maschere nude*, V.4 664.

[146] De Filippo, *Cantata dei giorni dispari*, V.3 437.

[147] Pirandello, *Maschere nude*, V.4 602.

[148] De Filippo, *Cantata dei giorni dispari*, V.3 437.

[149] De Filippo, *Cantata dei giorni dispari*, V.3 438.

[150] Pirandello, *Maschere nude*, V.4 652.

[151] Pirandello, *Maschere nude*, V.4 654.

[152] Pirandello, *Maschere nude*, V.4 655.

[153] Pirandello, *Maschere nude*, V.4 650.

[154] De Filippo, *Cantata dei giorni dispari*, V.3 437.

[155] De Filippo, *Cantata dei giorni dispari*, V.3 437.

[156] Pirandello, *Maschere nude*, V.1 95.

[157] De Filippo, *Cantata dei giorni dispari*, V.3 437.

[158] Pirandello, *Maschere nude*, V.1 83.

[159] Bloom, *Anxiety* 140.

[160] De Filippo, *Cantata dei giorni dispari*, V.3 432.

[161] Pirandello, *Maschere nude*, V.1 107.

[162] Pirandello, *Maschere nude*, V.1 107.

[163] Pirandello, *Maschere nude*, V.1 107.

[164] Pirandello, *Maschere nude*, V.1 107.

[165] Pirandello, *Maschere nude*, V.1 108.

[166] De Filippo, *Cantata dei giorni dispari*, V.3 466.

[167] Bloom, *A Map Of Misreading* 9.

[168] Alberto Consigio, "L'incontro con Pirandello" *Eduardo,* a cura di Federico Frascani (Napoli: Guida 1974) 22.

[169] Angelini 51.

[170] Quarantotti 173.

BIBLIOGRAFIA

Eduardo De Filippo
Opere

De Filippo, Eduardo. *Cantata dei giorni dispari*. Vol. 1. Torino: Einaudi, 1958.
De Filippo, Eduardo. *Cantata dei giorni dispari*. Vol. 2. Torino: Einaudi, 1958.
De Filippo, Eduardo. *Cantata dei giorni dispari*. Vol. 3. Torino: Einaudi, 1958.
De Filippo, Eduardo. *Cantata dei giorni pari*. Vol. 4. Torino: Einaudi, 1958.

Luigi Pirandello
Opere

Pirandello, Luigi. *Maschere nude*. Vol. 1. Milano: Mondadori, 1952.
Pirandello, Luigi. *Maschere nude*. Vol. 2. Milano: Mondadori, 1952.
Pirandello, Luigi. *Maschere nude*. Vol. 3. Milano: Mondadori, 1952.
Pirandello, Luigi. *Maschere nude*. Vol. 4. Milano: Mondadori, 1952.
Pirandello, Luigi. *L'umorismo*. Milano: Mondadori, 1992.
Pirandello, Luigi. *L'Esclusa*. Milano: Mondadori, 1992.

Studi sul teatro

Chiaromonte, Nicola. *Scritti sul teatro*. Torino: Einaudi, 1976
Pullini, Giorgio. *Cinquant'anni di Teatro in Italia*. Bologna: Cappelli, 1971.
Pullini, Giorgio. *Teatro italiano del Novecento*. Bologna: Cappelli, 1971.
Viviani, Vittorio. *Storia del teatro napoletano*. Napoli: Guida, 1992

Studi eduardiani

Antonucci, Giovanni. *Eduardo De Filippo: introduzione e guida allo studio dell'opera eduardiana - storia e antologia della critica.* Firenze: Le Monnier, 1981.

Antonucci, Giovanni. *Eduardo De Filippo.* Firenze: Le Monnier, 1981.

Acton, Harold. *Eduardo De Filippo, in The genius of the italian theatre.* New York: The New American Library, 1964.

Barsotti, Anna. *Eduardo drammaturgo: fra mondo del teatro e teatro del mondo.* Roma: Bulzoni, 1988-95.

Barsotti, Anna. *Introduzione a Eduardo.* Roma-Bari: Laterza, 1992.

Bentley, Eric. *In Search of Theatre.* New York: Knopf, 1953

Bentley, Eric. *The Playwright as Thinker.* New York: Reynal and Hitchcock, 1946.

Bentley, Eric. *What is Theatre?* Boston: Beacon Press, 1956.

Bisicchia, Andrea. *Invito alla lettura di Eduardo De Filippo.* Milano: Mursia, 1982.

Boccardi, Luciana (a cura di), con la collaborazione di Isabella Quarantotti De Filippo. *Omaggio a Eduardo: Venezia 3 ottobre 1985, Teatro Goldoni Associazione Amici della Biennale.* Venezia: Edizioni in Castello, 1985.

Bussagli, Manola. *Ipotesi di lavoro su "Il cilindro" e Eduardo De Filippo.* Milano: Libra, 1993.

Bussagli, Manola. *Eduardo in maschera: incontri sul teatro.* Napoli: Edizioni Scientifiche Italiane, 1995.

Calcagno, Paolo. *Eduardo: la vita è dispari.* (Con un intervento di Dario Fo). Napoli: Pironti, 1985.

Carloni, Augusto. *Natale in casa De Filippo.* Napoli: Benincasa, 1993.

Cocorullo, Pio. *Eduardo.* Roma: Newton Compton, 1996.

Coen-Pizer, Laura. *Il mondo della famiglia e il teatro degli affetti.* Roma: Carucci.

D'Amico, Silvio. *Storia del teatro drammatico.* Milano: Garzanti, 1953.

De Filippo, Luigi. *De Filippo & De Filippo: ricordi, vicende e passioni di un uomo di spettacolo e della più illustre famiglia del teatro italiano.* Roma: Newton Compton, 1993.

De Filippo, Peppino. *Una famiglia difficile.* Napoli: Marotta, 1976.

De Matteis, Stefano. *Lo specchio della vita. Napoli: antropologia della città del teatro*. Bologna: Il Mulino, 1991.

De Miro D'Ajeta, Barbara. *Eduardo De Filippo. Un teatro antico, sempre apierto*. Napoli: Edizioni Scientifiche Italiane, 1993.

Di Franco, Fiorenza. *Il teatro di Eduardo*. Roma-Bari: Laterza, 1975.

Di Franco, Fiorenza. *Eduardo De Filippo*. Roma: Gremese, 1978.

Di Franco, Fiorenza. *Eduardo da scugnizzo a senatore*. Roma-Bari: Laterza, 1983.

Di Franco, Fiorenza. *Le commedie di Eduardo*. Roma-Bari: Laterza, 1984.

Filosa, Carlo. *Eduardo De Filippo: poeta comico del "tragico quotidiano" - saggio su napoletanità e decadentismo nel teatro di Eduardo De Filippo*. Napoli: Colonnese, 1990.

Foli, Goffredo. *La grande recita*. Napoli: Colonnese, 1990.

Frascani, Federico. *Eduardo segreto*. Napoli: Edizioni del Delfino, 1982.

Frascani, Federico. *Eduardo De Filippo attore*. Napoli: Fratelli Conte, 1989.

Gargiulo, Giuliana. *Con Eduardo: diario*. Presentazione di Federico Frascani. Napoli: Colonnese, 1989.

Giammattei, Emma. *Eduardo De Filippo*. Firenze: La Nuova Italia, 1983.

Giammusso, Maurizio. *Vita di Eduardo*. Milano: Mondadori, 1995.

Giammusso, Maurizio. *Eduardo da Napoli al mondo*. Milano: Mondadori, 1994.

Greco, Franco Carmelo. *Eduardo e Napoli, Eduardo e l'Europa*. Napoli: Edizioni Scientifiche Italiane, 1993.

Meldolesi, Claudio. *Fra Totò e Gadda. Sei invenzioni sprecate del teatro italiano*. Roma: Bulzoni, 1987.

Mignone, Mario B. *Il teatro di Eduardo De Filippo*. Roma: Trevi, 1974.

Moscati, Italo. *Il Cattivo Eduardo, un artista troppo amato e troppo odiato*. Venezia: Marsilio, 1997.

Ottai, Antonella. *Lo spazio del dramma e il luogo della scena: la "casa" nel teatro di Eduardo De Filippo*. Napoli: Liguori, 1989.

Ottai, Antonella e Quarenghi Paola (a cura di). *L'arte della commedia. Atti del convegno sulla drammaturgia di Eduardo*. (Teatro Ateneo, 21 settembre 1988). Roma: Bulzoni, 1990.

Pandolfi, Vito. "Eduardo De Filippo". *Letteratura Italiana: I*

Contemporanei. Vol. 3 Milano: Marzorati, 1977.

Quarenghi, Paola. *Lo spettatore col binocolo: Eduardo De Filippo dalla scena allo schermo.* Roma: Edizione Kappa, 1995.

Ricci, Carla Maria. *Un metodo di analisi statistica applicato ai testi teatrali: Tre commedie di Eduardo De Filippo.* Roma: Bulzoni, 1991.

Studi di critica e teoria letteraria
Bloom, Harold. *A Map Of Misreading.* New York: Oxford University Press, 1975.

Bloom, Harold. *The Anxiety Of Influence.* New York: Oxford University Press, 1977.

Studi pirandelliani
Argenziano, Maggi Maria. *Luigi Pirandello, Il relativo e l'assoluto.* Napoli: Federico & Ardia (d.s).

Cucchetti, Gino. *Assoluto e relativo in Pirandello.* Atti del Convegno internazionale di studi pirandelliani. Perugia: Le Monnier, 1967.

Lauretta, Enzo. *Luigi Pirandello storia di un personaggio "fuori chiave".* Milano: Mursia, 1980.

Luperini, Romano. *Pirandello.* Roma-Bari: Laterza, 1999.

Alessio, A, Haines, C, Sbrocchi, L.G. *L'enigma Pirandello.* Atti del Congresso Internazionale Ottawa, 24-26 ottobre, 86. The Canadian Society for Italian Studies, 1988.

Altre opere consultate
Il Risveglio della Ragione, Quarant'anni di narrativa a Napoli 1953-1993. A cura di Giuseppe Tortora. Napoli: Avigliano Editore, 1994.

Consiglio, Alberto. *Antologia dei poeti napoletani.* Milano: Arnoldo Mondadori, 1973.

Freud, Sigmund. *Collected Papers.* V.5. London: Hogarth Press, 1952.

INDICE

Finito di stampare nel mese di maggio 2006
dalla Bastogi Editrice Italiana srl
71100 Foggia